Antología de

A Emma,
siempre Lisi

V A R I O S

ANTOLOGÍA DE POESÍA BARROCA

EDICIÓN, INTRODUCCIÓN, NOTAS, COMENTARIOS
Y APÉNDICE

VICENTE TUSÓN

Biblioteca Didáctica Anaya

Abreviaturas empleadas

Cfr.: confróntese, véase.
Ed.: edición.
Edit.: editorial.
Infra: abajo, más adelante (en este libro se empleará *cfr. infra* para remitir a las notas a pie de página).
Pág., págs.: página, páginas.
V.: verso.
Vv.: versos.

Dirección de la colección: Antonio Basanta Reyes y Luis Vázquez Rodríguez.
Diseño de interiores y cubierta: Antonio Tello.
Dibujos: Francisco Luis Frontán.
Ilustración de cubierta: Javier Serrano Pérez.

ÍNDICE

INTRODUCCIÓN

Triunfo de San Hermenegildo, *por Herrera el Mozo, Museo del Prado, Madrid.*

ÉPOCA

Decadencia política

Los poemas recogidos en esta antología fueron escritos entre 1580 y finales del siglo XVII: es la época en que España pasa de su más alta cumbre a su más honda *decadencia.*

Ya en los últimos tiempos de Felipe II, el desastre de la Armada Invencible (1588) fue un mal presagio. Luego, a lo largo de los reinados de Felipe III (1598-1621), Felipe IV (1621-1665) y Carlos II (1665-1700), España se hunde.

— En el exterior, nuestros ejércitos van siendo derrotados y, tras la Guerra de los Treinta Años (Paz de los Pirineos, 1659), España pierde su hegemonía en Europa.

— La política interior está marcada por la inepcia y la corrupción, desde reyes y validos, que consumen la cuarta parte de la hacienda pública en gastos suntuarios, hasta gobernadores o administradores de cualquier nivel, frecuentes ejemplos de rapacidad.

Pero veamos algunos aspectos concretos de esta situación.

Crisis económica

La economía experimenta un agotamiento creciente: las crisis se suceden sin soluciones.

— Menguan los metales preciosos y las mercancías que venían de América, acaparados en buena parte por holandeses, ingleses, etc.

— La industria vive un progresivo abandono.

— Se protege, eso sí, la ganadería, lo que beneficia a los más poderosos y va en detrimento de la agricultura («privilegios de la Mesta»).

— La situación de la agricultura merece párrafo especial. A principios del XVII sufrió un duro golpe con la expulsión de cientos de miles de moriscos, expertos agricultores. Además, la distribución de la propiedad será nefasta: nobleza y clero acumulan el 95 por ciento de las tierras (que no necesitarán cultivar con pleno rendimiento); frente a ello, los aparceros y los campesinos humildes pasan hambre y, a menudo, abandonan el campo y buscan trabajo en las ciudades, a las que confluye una masa de menesterosos (los pícaros no son meros personajes literarios).

A principios del reinado de Felipe IV, un sacerdote —el padre López Bravo— denuncia cómo «la inicua distribución de las riquezas trae consigo la opulencia de unos pocos, que se sostienen en la Corte del trabajo y las privaciones de la multitud.

Así pues, depresión económica, injusticia, hambre... Añádanse los efectos de las pestes, de las guerras, de la emigración a América. No extrañará que España, entre fines del XVI y mediados del XVII, pierda la cuarta parte de su población.

He aquí algunos de los desoladores aspectos concretos de la decadencia de España en la época.

Hambre y miseria, socorridas por la caridad, son los signos de la crisis social del Barroco. (Cuadro francés del XVII sobre las obras de misericordia.)

Tensiones sociales, malestar

Lo dicho lleva aparejado un ahondamiento de las desigualdades sociales, lo que será fuente de tensiones. Y ello está presidido por la llamada *reacción señorial.* Con este nombre se conoce un proceso que puede sintetizarse así:

- Desde tiempo atrás, en Europa, la burguesía había ido desarrollando un notable dinamismo en el campo económico. En España, ya en la primera mitad del XVI, el peso que alcanzaban los burgueses fue sentido como una amenaza por los estamentos dominantes.
- Y esos estamentos, nobleza y clero, apoyados por la monarquía, harán todo lo necesario para frenar el avance de la burguesía y para mantener así su prepotencia económica, social y política.

Fácil será imaginar el panorama social de la época, cuyos extremos opuestos son el pícaro y el noble ocioso, y en el que se dan unos incrementos paralelos de la pobreza de los humildes y del poder de los privilegiados.

Pero, además, resulta que los estamentos dirigentes se muestran incapaces de hacer frente a los problemas presentes. Carecen de impulso emprendedor, desprecian las empresas económicas: no invierten, sólo gastan (en lujos, en obras suntuarias); o sea, sólo se ocupan de conservar sus privilegios y hacer ostentación de su poder, en flagrante contraste con la miseria creciente y la ruina del país.

Una situación así es de lo más propicia para suscitar descontentos y tensiones. El mismo Consejo Real, ya en 1619, advierte a Felipe III del «miserable estado en que se hallan sus vasallos» y señala que no es extraño «que vivan descontentos, afligidos y desconsolados». Testimonio impresionante.

La aristocracia frenará los intentos de progreso en la España del XVII. (Fragmento de La caza del tabladillo, *por J. B. Mazo.)*

Tal situación crea, en efecto, un marcado *malestar,* que se manifestará de formas diversas. No hablemos de «la desesperación de los que nada tienen» (son palabras del citado P. López Bravo) y que difícilmente podrán hacerse oír. Pero las tensiones, la inestabilidad, las más diversas inquietudes asaltarán a muchas mentes lúcidas. Veremos cómo la literatura se hará eco de ese malestar o bien buscará vías para aliviarlo o acallarlo.

LITERATURA

El Barroco literario: ideas y actitudes

Tras diversas interpretaciones, el Barroco —en su sentido más estricto— es visto hoy como una concepción de la vida y del arte que responde a unas concretas circunstancias históricas: las que acabamos de repasar. Los escritores no podían ser insensibles a los azarosos signos de los tiempos. Varias serán las actitudes que podrán adoptar. Pero, por encima de esa variedad, veamos lo que puede serles más común, lo que cabría llamar *el espíritu barroco.*

El espíritu del artista barroco tiene un complejo muestrario de actitudes. (Melancolía, *de Doménico Fetti, Museo del Louvre.)*

En su centro, *el desengaño.* Esa palabra clave encierra el derrumbamiento del idealismo renacentista, con sus ilusiones, su visión armónica del mundo y del hombre, su amor a la vida. El desengaño barroco es, en gran medida, *un vitalismo frustrado:* unas ansias de vivir que, en aquel mundo, no hallan cauce fácil para desarrollarse plenamente. Surge así *una concepción negativa del mundo y de la vida.* La lectura de poemas mostrará los temas concretos en que se desglosa esa concepción (temas que sintetizaremos en el apéndice). Anticipemos algunas ideas: el mundo carece de valor y está dominado por la «discordia»; la vida es contradicción y lucha; además, es breve, fugaz, inconsciente; el tiempo lo destruye todo y nos destruye; vivir es «ir muriendo»... Son temas graves. No en vano, otra palabra clave del momento es *el cuidado,* que, aparte de su sentido de «atención», cobra significados más dramáticos: «preocupación, inquietud, desazón, angustia»...

Pero ante tales temas son posibles otros enfoques: por ejemplo, *una actitud ascética.* La fe cristiana predicaba el «desprecio del mundo»; a la brevedad de la vida terrena, oponía una vida eterna; y si vivir es morir, la muerte conducirá a una vida plena. Con tal enfoque se hacían coincidir las enseñanzas de la *filosofía estoica* —con su variante senequista— que enseñaba también a despegarse de lo mundano y a aceptar serenamente los sufrimientos y la muerte. Y con ello confluían otros ideales clásicos: sigue muy presente, por ejemplo, el de la «vida retirada», cantada por el poeta latino Horacio.

Debe advertirse, con todo, que la religión y la filosofía no siempre sirvieron de consuelo: no siempre coincidían las creencias y los anhelos. De ahí que se haya observado una tensión entre *anhelo vitalista del mundo* y *fuga ascética de él* (Leo Spitzer). Y esa contradicción es central en el Barroco. Nos lo mostrarán no pocos poetas (Lope y Quevedo, sobre todos). Tan pronto los veremos expresar su urgencia de goces, su sed de aprovechar el instante, como les oiremos denostar desengañados los caminos del mundo.

Y aún caben otras actitudes. Así, *la evasión* —o la postura «escapista»— en diversas formas. Una, de especial importancia, fue la *esteticista:* el refugiarse en mundos y formas de imperecedera belleza (aunque tras ella apunten a veces los «cuidados»). Otra vía era la de la pura *diversión:* ciertas manifestaciones —por ejemplo, el teatro, en buena parte— eran formas de olvidar, o de hacer olvidar, pesares e inquietudes.

Esto último linda o coincide con otras actitudes: la *acomodación* o el *conformismo.* Ténganse en cuenta las manifestaciones literarias que aceptan o apoyan los valores establecidos (políticos, sociales, religiosos) y sirven a los estamentos dominantes con panegíricos, elogios, etcétera.

Frente a lo dicho, ¿no hubo *actitudes inconformistas,* de protesta? La censura, política o religiosa, dejaba escasos márgenes a las expresiones críticas. Hubo, sí, tratadistas políticos que hicieron críticas y advertencias, pero con prudencia. En la novela picaresca hay testimonios de la miseria. La queja ante la situación general encontrará cabida en la poesía grave. Y en la sátira apuntará a veces —sólo a veces, como veremos— un espíritu inconformista.

En resumen: el malestar histórico apenas podía encontrar cauces directos de salida; y ante un panorama tan insatisfactorio, varias fueron las actitudes adoptadas por los escritores: la expresión angustiada del desengaño, a veces aliviado por vías ascéticas o filosóficas; o la entrega a goces efímeros, o la evasión esteticista, o la diversión, o la acomodación conformista... Actitudes y talantes que se entremezclarán, como podrá verse en los poemas de esta antología.

La lengua literaria. Conceptismo y culteranismo

Los aspectos vistos en el apartado anterior, si bien recogen lo esencial del espíritu barroco, pueden encontrarse, en cierta medida, en otras épocas. Lo que nos importa ahora es ver *cómo,* con qué peculiaridades, se expresaron en aquel momento.

A las inquietudes y zozobras, a las tensiones y contradicciones del momento, corresponderá un estilo cada vez más alejado también del equilibrio renacentista. Pero recordemos que en la segunda mitad del siglo XVI

Fernando Herrera, introductor de las formas protobarrocas en la poesía española. (Retrato de la Biblioteca Nacional, Madrid.)

El artificio creativo lleva a una representación estética llena de tensión e intensidad. (La Ascensión, *Claudio de Lorena.)*

algunos poetas derivaban ya hacia un estilo más complejo. A tal evolución se le ha aplicado el término de *Manierismo* (que en historia de la pintura designaba una etapa en la que se intensifican ciertas formas —o «maneras»— del estilo renacentista). Así, se iban acentuando ciertos artificios o se extremaba la expresión de ciertas ideas. Con esa línea empalman, en su juventud, muchos de los poetas barrocos de la primera generación, como veremos. Y convenía señalar esta continuidad, antes de hablar de una ruptura.

Sentado esto, ¿qué orientaciones podrían señalarse como más características del pleno estilo barroco? Frente a la «naturalidad», la «armonía», la «mesura» renacentistas, la lengua poética barroca se caracterizaría por el *artificio,* la *tensión,* la *intensidad.* Como dijo R. Lapesa, «la pérdida de la serenidad clásica se manifiesta en actitudes extremosas». Se tensan los conceptos y los recursos expresivos, en un frenesí por radicalizar las ideas y exprimir las posibilidades del lenguaje. El resultado será, en unos casos, la profundidad conceptual o la intensidad emotiva; en otros, la fuerza corrosiva de la sátira; o la deslumbrante belleza, el lujo verbal... Y en conjunto, el repertorio de audacias verbales es amplísimo (como resumiremos en el apéndice).

Pero conviene que, desde ahora, examinemos la distinción que suele hacerse, dentro del estilo barroco, entre *conceptismo* y *culteranismo*. En síntesis:

— El *conceptismo* se preocuparía esencialmente por el contenido, por el «fondo». Buscaría la sutileza, la profundidad o la densidad. Sus recursos más característicos serían los juegos de palabras, los dobles sentidos. Su máximo representante: Quevedo.

— El *culteranismo* se preocuparía sobre todo por la «forma»; busca la belleza, la riqueza sensorial, la ornamentación exuberante, la brillante dificultad. Lo caracterizarían especialmente el léxico culto, el retorcimiento sintáctico y las metáforas audaces. Lo preside Góngora.

Expuesto así, en teoría, parece tratarse de dos tendencias diferentes. Pero, en todo caso, no debemos considerarlas opuestas. Y en la práctica es difícil trazar una frontera entre ambas. En primer lugar, nadie sostendría hoy que los conceptistas no se preocupan de la «forma». En segundo lugar, se han señalado rasgos culteranos en Lope y hasta en Quevedo, y abundantes rasgos conceptistas en Góngora (véanse, por ejemplo, los poemas **4** y **5** de esta antología). Ya Gracián —que pasaba por haber condensado la doctrina del conceptismo en su *Agudeza y Arte de Ingenio*— tomaba abundantes ejemplos de Góngora. En otros autores veremos convivir rasgos de uno y otro signo.

Escritores clasificados tradicionalmente en uno u otro bando utilizarán muchos recursos comunes. Y coinciden en dos características esenciales: la *dificultad* y cierto *aristocratismo* cultural. Tan difícil y «oscuro» puede resultar Quevedo como Góngora. También Gracián decía que «conviene la oscuridad para no ser vulgar». Es notoria y común la voluntad de distanciarse del «vulgo» (en el sentido de «lectores ignorantes») y de dirigirse a un lector selecto, culto.

De lo expuesto concluiríamos hoy (con Fernando Lázaro) que el *conceptismo* está en la base de todo el estilo barroco. Sobre esa base, por tanto, se asienta también el llamado *culteranismo* o *gongorismo*. Pero, al sustrato común, éste añade o aporta una serie de elementos que provienen de la especial sensibilidad y genio creador de Góngora: esencialmente, los valores sensoriales y el gusto latinizante de hipérbatos y cultismos (véase la introducción a este autor). La cuestión podría reducirse a una formulación muy sencilla: Góngora es «conceptista» y, a la vez, ... «gongorino».

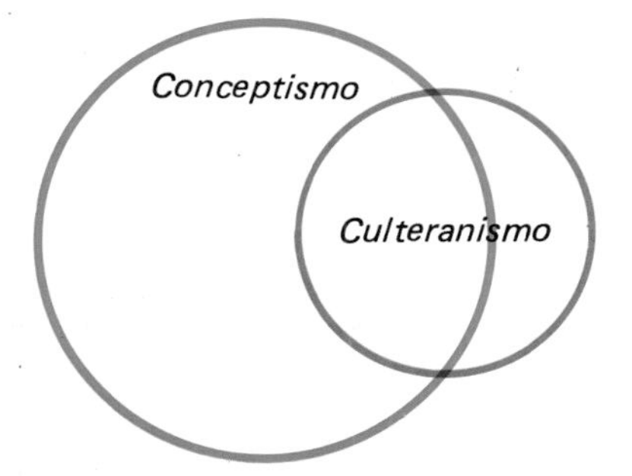

Según lo expuesto, y como refleja este gráfico, el *culteranismo* sería una modalidad del *conceptismo*, si bien añade ciertos elementos brillantemente originales.

Pero lo dicho no disminuye —al contrario— la talla y la originalidad de Góngora. Porque él inauguró verdaderamente una «nueva poesía» (así se la llamó en su tiempo), y en ello insistiremos al comentar sus poemas. Góngora fue «la vanguardia»; su influencia fue decisiva. La fecha de 1613 (difusión de *Polifemo* y las *Soledades*) es un hito capital en la historia de la poesía del Siglo de Oro. Góngora sedujo y escandalizó, y a partir de ese año, se asiste a una significativa «guerra literaria» entre seguidores y enemigos de Góngora (y entre los enemigos están, nada menos, Lope y Quevedo).

Terminemos este apartado advirtiendo que las tendencias de la poesía de la época no se limitan a las dos direcciones expuestas. Hay otras líneas: así, la que se inclina hacia una *naturalidad sentenciosa* —y hasta la *llaneza*—, propugnada, pero no siempre seguida, por Lope de Vega; o la *sobriedad clasicista* de algunos poetas aragoneses o andaluces; o la pervivencia del *Manierismo* en otros. Tendremos ocasión de apreciarlo y precisarlo.

Algunos aspectos destacados de la creación poética

Tras los conceptos generales expuestos, lo importante sería pasar ya a las lecturas, atendiendo a las observaciones que se hacen al pie de los textos. Sólo como «plano» o guía pueden ser útiles los esquemas o clasificaciones que ofrecemos a continuación.

a) Atendiendo a los contenidos, cabe establecer varios grandes «subgéneros» o grupos temáticos:

— *Poesía filosófica, moral y religiosa.* En ella se hallará la concepción desengañada de la vida y las vías de consuelo de que hemos hablado (ascética, estoicismo, horacianismo...).

— *Poesía amorosa.* Es abundante y conviene tener presente la pervivencia de los temas del «amor cortés» y del petrarquismo: véanse, por ejemplo, las notas a algunos poemas amorosos de Quevedo o Villamediana (y remitimos de nuevo al apéndice para un resumen de los conceptos aludidos).

— *Poesía satírica y burlesca.* Aunque no es fácil deslindarlas, R. Jammes ha propuesto llamar «satírica» a la poesía que tenga una raíz moral, y considerar «burlesca» la que responda a una actitud inconformista (o quizá simplemente al regusto por envilecer la realidad).

— *Otros géneros y temas.* Aludamos, en fin, a los poemas de circunstancias (elogios, elegías fúnebres...); las fábulas mitológicas; las poesías descriptivas (paisajes, jardines, objetos...); y llegaríamos así hasta un tipo de composiciones sobre temas mínimos y hasta triviales, que serían puro pretexto a veces para deliciosos juegos «preciosistas».

b) Atendiendo a ciertos aspectos formales, y sin entrar aquí en detalles de métrica, deben tenerse en cuenta las siguientes líneas:

— *Poemas en versos «italianos»* (el endecasílabo y sus combinaciones). En ellos se aprecia especialmente la evolución Renacimiento-Manierismo-Barroco, pero podrán responder también a la línea clasicista.

— *Poemas en versos «castellanos»* (octosílabo y afines), en que se prolonga y se transforma la línea «cancioneril» culta: piénsese en ciertas letrillas o poemas en redondillas, en quintillas, en décimas... Es un campo especialmente propicio para los juegos conceptistas (tan presentes ya en los Cancioneros del siglo XV).

— *El Romancero nuevo.* Con este nombre se conoce el caudal de romances artísticos (es decir, cultos) fruto de un renovado gusto por el género. Junto a nuevos temas (moriscos, pastoriles, mitológicos, morales...), cabría observar un enriquecimiento estilístico, acorde con las preferencias barrocas.

— *Las cancioncillas de tipo tradicional.* Con las tendencias cultistas convive asombrosamente un fervor por la poesía «popular». Es una línea representada en toda su frescura por las muestras que ofrecemos de Lope o Valdivielso. Pero también aparecerá estilizada con máximo refinamiento en algunas composiciones de Góngora.

La mitología será una de las fuentes temáticas de la lírica barroca. (El amor presenta a Eneas y Dido, *de J. P. Tiépolo.)*

AUTORES

Como es sabido, en la época barroca, en fuerte contraste con la decadencia histórica, la literatura y el arte ofrecen una extraordinaria riqueza. Ciñéndonos a la lírica, un dato puede resultar significativo: una reciente antología de poesía barroca (de J. M. Blecua) recoge un centenar largo de poetas...

En este lugar, nos limitaremos a recoger un par de clasificaciones que pueden resultar útiles para situar a los diversos autores en sus coordenadas de espacio y tiempo. Por lo demás, remitimos a las notas biográficas y críticas que insertamos al frente de cada autor.

«Escuelas» regionales

Una de las clasificaciones habituales atiende a la procedencia de los poetas. Simplificando, destacaremos tres grupos:

a) *Poetas andaluces*, que se repartirían, a su vez, en varias escuelas: la sevillana, la antequerano-granadina... Andalucía es tierra fecunda en poetas. Destacan, sin duda, los que desarrollan una línea cultista y suntuosa que, según dijimos, viene de atrás (Fernando de Herrera era sevillano). Junto a la ingente figura de Góngora, habría que citar a Carrillo de Sotomayor, a Francisco de Rioja, a Soto de Rojas, por citar sólo nombres recogidos en esta antología. Pero otros poetas andaluces cultivan paralelamente la aludida línea clasicista, más sobria: así, Francisco de Medrano, Rodrigo Caro o Andrés Fernández de Andrada.

b) *Poetas aragoneses.* Presididos por los hermanos Argensola, se mantienen al margen de las innovaciones culteranas y se caracterizan también por la sobriedad clásica y una especial inclinación hacia la poesía moral.

c) *Poetas castellanos,* y especialmente madrileños, como Lope, Quevedo, Villamediana, Calderón, Bocángel..., sin olvidar a un toledano como Valdivielso o a un conquense como Enríquez Gómez. Son poetas en que confluyen muy variadas tendencias: en este caso, más que en otros, sería improcedente hablar de «escuela».

La figura de Góngora encabeza la escuela culteranista andaluza. (Retrato del poeta para sus Obras completas.*)*

¿Generaciones? ¿Etapas?

Atendiendo a la cronología, a la edad, se ha intentado clasificar a los poetas por generaciones. Sin entrar en reparos o detalles, habría las siguientes:

a) *Generación de Góngora y Lope,* nacidos, respectivamente, en 1561 y 1562. En torno a esas fechas nacen autores como los Argensola, Valdivielso, el conde de Salinas... Algo posteriores son Medrano, Caro, Fernández de Andrada. Dominan —como se podrá ver— los representantes de las líneas «manierista», clasicista, o los partidarios de cierta «naturalidad»; pero, junto a ellos, Góngora representa —decíamos— la vanguardia.

b) *Generación de Quevedo,* quien nace en 1580. Y en esa década nacen Villamediana, Rioja, Soto de Rojas, Carrillo, entre otros. Presididos —no capitaneados— por la fortísima personalidad del autor del *Buscón*, son discípulos de la generación anterior y, salvo excepciones, reaccionan positiva o negativamente ante el estímulo gongorino.

c) *Generación de Calderón,* nacido en 1600. Junto al gran dramaturgo, hallaríamos una lista de poetas menores que prolongan las tendencias precedentes. Sólo recogeremos a Enríquez Gómez y a Gabriel Bocángel, dos figuras muy distintas, como se verá.

Las generaciones siguientes no ofrecerán nombres que merezcan citarse aquí: la decadencia llega, en fin, a la poesía (esto en España: la excepción surgirá allende el Atlántico, como en seguida veremos).

Esta clasificación por generaciones podría discutirse: señalemos sólo que los poetas que las componen conviven en buena medida y que hay casos muy especiales (en los que no entraremos aquí). Pero, teniendo en cuenta ese esquema, se pueden establecer unos hitos y unas etapas bastante claras:

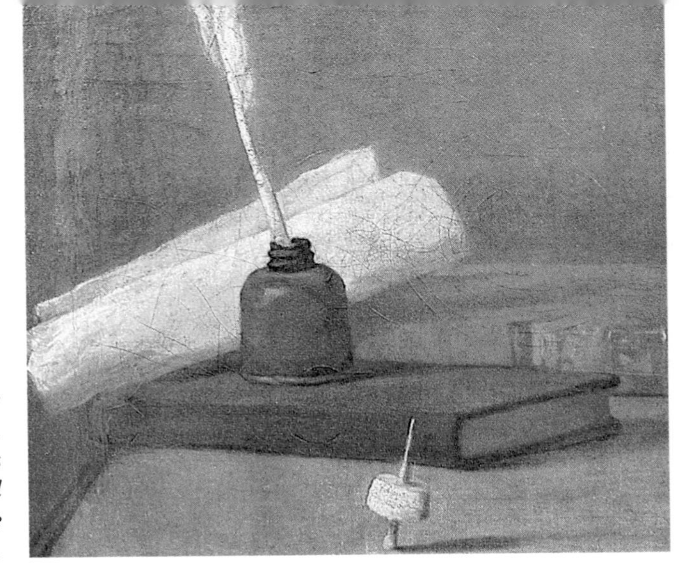

La creación literaria, simbolizada en este cuadro de Chardin, ocupará, junto a las artes plásticas, el espléndido Siglo de Oro español.

— Una primera etapa abarcaría los últimos veinte años del siglo XVI y la primera década del XVII. Son los años en que poetas como Góngora y Lope se revelan y caminan a su madurez. Sería —junto a las pervivencias clasicistas— la época del *primer Barroco* o *Barroco temprano* (algunos preferirían hablar aún de *Manierismo*).

— El año de 1613 es un hito decisivo (hay que repetirlo). Los grandes poemas gongorinos conmueven, como sabemos, el panorama. Lope está en su cumbre artística. Pero, a la vez, una figura como Quevedo —que tiene entonces treinta y tres años— ha alcanzado ya una presencia incalculable. Hemos entrado en la *plenitud del Barroco.*

— En 1627 muere Góngora; Lope, en 1635; Quevedo, en el 45. A partir de esa fecha, entramos en la decadencia: es el *Barroco tardío.* Pero en la segunda mitad del siglo, en América, en Méjico, la poesía barroca dará su espléndido canto de cisne: la obra de Sor Juana Inés de la Cruz (nacida al mediar el XVII).

Tal es, en síntesis, el panorama que cubre esta antología.

CUESTIONES

- *En la España barroca cunde un fuerte malestar, producto de la decadencia y la crisis. Resume las principales facetas políticas, económicas y sociales.*

- *Partiendo de la vivencia del «desengaño», ¿qué idea de la vida y qué posturas ideológicas o vitales encontramos en los escritores? ¿Qué conflictos o qué contradicciones has podido observar?*

- *¿Qué proceso conduce de la literatura renacentista a la barroca?*

- *¿Cómo se han definido el «conceptismo» y el «culteranismo»? ¿Qué relaciones guardan entre sí? ¿Cuál fue el lugar de Góngora con respecto a tales «corrientes»?*

- *¿Qué líneas temáticas y formales sobresalen en la poesía barroca?*

- *Enumera las principales «escuelas» poéticas regionales, indicando —hasta donde sea posible— sus rasgos dominantes.*

- *¿Qué «generaciones» poéticas suelen distinguirse en la época estudiada? ¿Qué hitos conviene recordar?*

CRITERIO DE ESTA EDICIÓN

Hay, diríamos, antologías «de poetas» y antologías «de poemas»; ésta ha pretendido combinar ambas concepciones desde un enfoque resueltamente didáctico. Así, de una parte, se concede un espacio destacado a cinco poetas (y sobre todo a tres), representativos de las generaciones o épocas que han sido expuestas. De otra parte, una sección especial recoge un conjunto de poemas sueltos, memorables por muchas razones. Y esto no tanto para que el alumno conozca «muchos autores» —aunque sea deseable—, sino para abrirle el variado horizonte de la lírica barroca y poner ante sus ojos piezas bellísimas.

Dos aspectos ha presidido nuestra selección: lo representativo de los textos y su posible vigencia para el joven (y sensible) lector de hoy. Probablemente, ha prevalecido lo segundo.

Se encontrarán aquí lo que podríamos llamar poemas «consagrados» por la tradición antológica (que hemos tenido presente). También puede haber alguna sorpresa. Pero, por supuesto, ¡cuántas cosas echaremos de menos en estas páginas...! Que ello sea una invitación a más amplias lecturas.

En lo que concierne a los tres máximos autores, hemos agrupado los poemas con un criterio temático, aunque amplio; y ello también por razones pedagógicas. Pero nuestras indicaciones permitirán tener en cuenta otros aspectos: el formal, el cronológico (hasta donde sea posible), etc.

Nos hemos basado siempre en las ediciones más sólidas (cuya referencia huelga), pero hemos modernizado resueltamente la ortografía y hemos adoptado la puntuación que más favorecía el entendimiento de los textos.

La anotación ha sido especialmente cuidada: dadas las grandes dificultades que este tipo de poesía llega a ofrecer, hemos procurado allanar hasta el máximo su acceso a los concretos destinatarios de estas páginas.

Ojalá todo ello conduzca o acompañe al goce de tan alta poesía.

ANTOLOGÍA DE POESÍA BARROCA

GÓNGORA

Vida y personalidad

En 1561, en Córdoba, nació don Luis de Góngora y Argote, en una familia de «caballeros» (mediana nobleza). Cursó estudios incompletos en Salamanca y entró en el sacerdocio por motivos económicos. Pronto brillaron sus dotes poéticas. Hizo diversos viajes y realizó varias estancias en la Corte, donde cosechó mayor fama, junto a fuertes enemistades (la de Quevedo, sobre todo); pero no consiguió consolidar su posición económica. De nuevo en Córdoba, compuso el *Polifemo* y las *Soledades,* cuyas copias se difundieron por Madrid en 1613 —fecha crucial para la poesía barroca—, suscitando nuevas admiraciones y repulsas. En 1617 se instala en Madrid como encargado de la Capilla Real. Pero su situación irá empeorando con los años: lo hunden su afición a los lujos y su pasión por el juego. A ello se añade, en 1616, una grave enfermedad que le lleva a retirarse a Córdoba, donde muere en 1627.

Fue Góngora un hombre seco y orgulloso, muy seguro de su genio. Su extrema lucidez le dio fama de descontento y escéptico. Su aguda inteligencia lo ha hecho pasar por cerebral. Pero, junto a ello, su poesía nos revela también otras facetas: a veces, una insólita delicadeza; otras, una finísima sensualidad (de lo que se ha hablado menos); y siempre, una inigualable sensibilidad y capacidad de entusiasmo ante la belleza sensorial. De todo ello darán fe los poemas seleccionados.

Como poeta, Góngora muestra asimismo aspectos diversos y contradictorios (como ha establecido Jammes): aparte de su entronque inicial con la línea petrarquista de Garcilaso y Herrera, hay un Góngora inconformista que se burla de ciertos valores dominantes, al lado de un Góngora conformista que adula a los poderosos; y más allá está el creador de los grandes poemas «culteranos».

La lengua poética de Góngora. Sus dos épocas

Ya se ha dicho lo que tiene de frágil la oposición entre *culteranismo* y *conceptismo* y cómo en Góngora precisamente conviven ambas tendencias. El análisis de los poemas que siguen bastará para ilustrarlo. Pero, junto a ello, hay que abordar otra cuestión: la de su evolución estilística. Sintetizaremos al máximo.

Ya en su tiempo se distinguieron en su trayectoria dos épocas: una de poesía clara (relativamente), otra de poesía oscura, difícil. En nuestro tiempo, Dámaso Alonso prefería hablar de «dos planos» que se desarrollaban paralelos: desde el principio al final de su vida literaria, alternarían poesías cultas, difíciles, con otras más sencillas. Posteriormente, F. Lázaro ha probado que, pese a todo, debe mantenerse la diferencia entre las dos épocas. Y tal vuelve a ser hoy la tesis dominante.

En efecto, aunque no falten desde sus comienzos las dificultades cultistas, a partir de 1610 Góngora da un inmenso salto, por la audacia y densidad de sus artificios de todo tipo, y en particular por la renovada complejidad de su sintaxis (con hipérbatos extremos) y de su léxico (abundancia de latinismos, etc).

Su intento, sin duda, era el de establecer una máxima distancia entre la comunicación poética y la comunicación habitual, dotar a la poesía de un lenguaje radicalmente distinto del lenguaje ordinario; y su modelo, en buena parte, era la libertad, la flexibilidad de la lengua latina. Antes de Góngora, nadie había ido tan lejos por ese camino de experimentación poética.

Advirtamos, no obstante, que, tras sus poemas más audaces, encontraremos, a veces, composiciones de menor complejidad, como algunos sonetos y letrillas posteriores a 1610 que se hallarán en nuestra selección.

En todo caso, hay que destacar en Góngora —desde sus comienzos hasta sus finales— un agudísimo sentido del lenguaje, un profundo conocimiento del «poder de la palabra» para alcanzar las más variadas bellezas (de sonoridad, de colorido, de pura construcción...). En este sentido, sus versos admiran y se dejan paladear como pocos.

En fin, hay que señalar la variedad de su métrica y la maestría con que utilizó los versos y estrofas del Siglo de Oro, lo mismo las de origen popular (romances, letrillas...) como las de origen italiano (ahí están sus prodigiosos sonetos, sus octavas, sus silvas...).

Aspectos de su obra poética

Partiendo de las observaciones precedentes, se abordará la lectura y estudio de los poemas escogidos. Por razones didácticas, se han ordenado en cinco secciones (y, dentro de ellas, por orden cronológico, que no conviene perder de vista). Las presentaremos sucintamente. Y remitimos desde ahora a las notas al pie de página para mayor detalle.

a) *Dos romances juveniles* abren nuestra selección. Como se sabe, Góngora es uno de los autores más importantes del *Romancero nuevo;* escribió un centenar de romances de diverso tipo: moriscos, pastoriles y de otros temas, serios y jocosos, «claros» y «oscuros»... (Véanse otros romances luego: núms. **7** y **12**.)

b) *Poesía satírica y burlesca.* En esta ancha veta de su producción se nos muestra el Góngora inconformista o desengañado. Fustiga deformidades y desenmascara ideales o valores establecidos: las desigualdades sociales, el heroísmo, las ambiciones, la vida cortesana, los honores, etc. Y les opone una actitud antiheroica y un ideal de vida independiente, libre, que nunca logró realizar.

c) *Poesía amorosa.* Góngora es un gran poeta amoroso, aun cuando sus composiciones de este tipo sean, frecuentemente, puros ejercicios. Aparte ciertas raíces tradicionales (n.º **7**), entronca con la línea petrarquista, y cultiva los temas del amor no correspondido, de la pasión inútil, etc. Pero resulta más personal su prevención ante el amor (n.º **10**). En su madurez, los temas amorosos son un puro motivo de deliciosas creaciones artísticas (núms. **12** y **13**). Por lo demás, varios de los poemas escogidos son ejemplos de sus finas estilizaciones de temas y formas populares; y sus sonetos son absolutamente perfectos.

d) *Poesía grave.* No hallaremos en Góngora la dramática hondura de un Quevedo, pero véase cómo, en sus últimos años, trató el tema de la brevedad de la vida (n.º **15**) o qué raíces tan auténticas confiere al sentimiento del desengaño (n.º **17**). Tampoco parecía estar muy dotado para la poesía religiosa, pero ahí está la maravillosa letrilla que lleva el número **16,** ejemplo máximo de la estilización refinadísima de tradiciones populares.

e) *El «Polifemo» y las «Soledades».* Son las cimas del proyecto culterano. Dada la índole de esta antología, hemos seleccionado muy cuidadosamente unos pocos fragmentos. Acerca de sus valores, no diremos nada ahora: véase lo dicho poco antes sobre la intención del autor y, sobre todo, consúltense las notas al pie de los textos escogidos.

Significación y fama

Sabido es hasta qué extremos fue Góngora admirado y combatido en su tiempo. Después —durante más de dos siglos—, aunque se siguió admirando su poesía más sencilla, se condenó o se olvidó su creación más audaz. Su valoración plena no se produce hasta 1927: al celebrarse el tercer centenario de su muerte, los poetas y críticos de aquella «generación» —y, sobre todo, Dámaso Alonso— tomarían a Góngora como ejemplo de búsqueda de una lengua radicalmente poética. Desde entonces, nadie discute su talla: otros poetas le aventajarán en hondura o en calor humano, pero acaso nadie le supere en rigor estético, en rutilantes bellezas verbales.

DOS ROMANCES JUVENILES DE TEMA VARIO

1

Hermana Marica[1],
mañana, que es fiesta,
no irás tú a la amiga[2]
ni yo iré a la escuela.
5 Pondraste el corpiño
y la saya buena,
cabezón[3] labrado,
toca y albanega[4];
y a mí me pondrán
10 mi camisa nueva,
sayo de palmilla[5],
media de estameña[6];
y si hace bueno
trairé la montera
15 que me dio la Pascua
mi señora abuela,
y el estadal[7] rojo
con lo que le cuelga,
que trajo el vecino
20 cuando fue a la feria.
Iremos a misa,
veremos la iglesia,
darános un cuarto[8]
mi tía la ollera[9].
25 Compraremos de él
(que nadie lo sepa)
chochos[10] y garbanzos
para la merienda;
y en la tardecica,
30 en nuestra plazuela,
jugaré yo al toro
y tú a las muñecas

[1] Diminutivo de María.

[2] Escuela de niñas.

[3] Cuello de la blusa.

[4] Redecilla para el pelo.

[5] Una clase de tela.

[6] Tejido de lana y estambre.

[7] Cinta bendecida que se lleva al cuello.

[8] Moneda.

[9] La que hace o vende ollas y otros cacharros.

[10] Altramuces.

con las dos hermanas,
Juana y Madalena,
y las dos primillas 35
Marica y la tuerta;
y si quiere madre
dar las castañetas[11],
podrás tanto dello
bailar en la puerta; 40
y al son del adufe[12]
cantará Andrehuela.
No me aprovecharon,
madre, las hierbas[13];
y yo de papel 45
haré una librea[14],
teñida con moras
porque bien parezca,
y una caperuza,
con muchas almenas[15]; 50
pondré por penacho
las dos plumas negras
del rabo del gallo,
que acullá[16] en la huerta
anaranjeamos[17] 55
las Carnestolendas[18];
y en la caña larga
pondré una bandera
con dos borlas blancas
en sus tranzaderas[19]; 60
y en mi caballito[20]
pondré una cabeza
de guadamecí[21],
dos hilos por riendas;
y entraré en la calle 65
haciendo corvetas[22].
Yo, y otros del barrio
que son más de treinta,

[11] Castañuelas.

[12] Pandero morisco.

[13] Era el estribillo de una canción popular.

[14] Casaca de los criados en fiestas y torneos.

[15] Adornos en forma de almenas.

[16] Acá.

[17] Alude a la costumbre de matar un gallo tirándole naranjas.

[18] Carnaval.

[19] Lazos o cordones.

[20] Caballito de juguete, poco más que un palo que se lleva entre las piernas.

[21] Cuero labrado.

[22] Movimientos que hace el caballo levantando las patas delanteras.

jugaremos cañas[23]
70 junto a la plazuela,
porque[24] Barbolilla
salga acá y nos vea:
Barbola, la hija
de la panadera,
75 la que suele darme
tortas con manteca,
porque algunas veces
hacemos yo y ella
las bellaquerías[25]
80 detrás de la puerta▼.

23 Juego en que se simula un combate con cañas en vez de lanzas.

24 Para que.

25 Picardías.

(1580)

2

Amarrado al duro banco
de una galera turquesca,
ambas manos en el remo
y ambos ojos en la tierra,
5 un forzado de Dragut[26]
en la playa de Marbella[27]
se quejaba al ronco son
del remo y de la cadena:
«¡Oh sagrado mar de España,
10 famosa playa serena,
teatro donde se han hecho
cien mil navales tragedias!

26 Un *forzado* es un condenado a remar en galeras; Dragut es un almirante turco del s. XVI.

27 Entiéndase «frente a la costa de Marbella».

▼ Este romancillo hexasílabo es famoso por su ligereza rítmica y por la frescura con que se evocan, desde los ojos de un niño, los días de fiesta en un pueblo a finales del siglo XVI. Véase qué aspectos de la vida aldeana se evocan, qué se nos dice sobre los vestidos, de qué juegos se habla (no todos «inocentes»), etc.

»Pues eres tú el mismo mar
que con tus crecientes besas
las murallas de mi patria, 15
coronadas y soberbias,
»tráeme nuevas de mi esposa,
y dime si han sido ciertas
las lágrimas y suspiros
que me dice por sus letras; 20
»porque si es verdad que llora
mi cautiverio en tu arena,
bien puedes al mar del Sur
vencer en lucientes perlas[28].
»Dame ya, sagrado mar, 25
a mis demandas respuesta,
que bien puedes, si es verdad
que las aguas tienen lengua[29],
»pero, pues no me respondes,
sin duda alguna que es muerta, 30
aunque no lo debe ser,
pues que vivo yo en su ausencia.
»Pues he vivido diez años
sin libertad y sin ella,
siempre al remo condenado, 35
a nadie matarán penas.»
En esto se descubrieron
de la Religión seis velas,
y el cómitre[30] mandó usar
al forzado de su fuerza▼. 40

(1583)

[28] Las lágrimas de la amada vencen en belleza a las perlas orientales.

[29] Se llamaba «lenguas de agua» a las orillas que lame el mar.

[30] El que dirige y azota a los forzados.

▼ Este romance es un episodio de la historia de un cautivo. Góngora, aquí, se centra en el lamento del prisionero español: frente a las costas andaluzas, pide en vano al mar noticias de su esposa. Nótese el patetismo de esta composición, una de las más sencillas del autor.

POESÍAS SATÍRICAS Y BURLESCAS

3

Da bienes Fortuna
que no están escritos:
Cuando pitos, flautas;
cuando flautas, pitos[31].
5 ¡Cuán diversas sendas
se suelen seguir
en el repartir
honras y haciendas!
A unos da encomiendas[32],
10 a otros sambenitos [33].
Cuando pitos, flautas;
cuando flautas, pitos.
A veces despoja
de choza y apero[34]
15 al mayor cabrero;
y a quien se le antoja
la cabra más coja
pare dos cabritos.
Cuando pitos, flautas;
20 *cuando flautas, pitos.*
Porque en una aldea
un pobre mancebo
hurtó sólo un huevo,
al sol bambolea[35],
25 y otro se pasea
con cien mil delitos.
Cuando pitos, flautas;
Cuando flautas, pitos ▼.

(1581)

[31] Expresión que indica que las cosas no salen como sería de esperar.

[32] Dignidades, cargos, rentas.

[33] Distintivos impuestos por la Inquisición a los condenados.

[34] Instrumento y herramienta de labranza.

[35] Se bambolea ahorcado.

▼ Nótese el inconformismo de esta letrilla satírica sobre el viejo tema de la arbitrariedad de la Fortuna (o de las desigualdades sociales). ¿Qué afirmaciones resultan audaces para su tiempo?

4

Ándeme yo caliente
y ríase la gente.

Traten otros del gobierno
del mundo y sus monarquías,
mientras gobiernan mis días 5
mantequillas y pan tierno,
y las mañanas de invierno
naranjada[36] y agua ardiente,
y ríase la gente.
Coma en dorada vajilla 10
el Príncipe mil cuidados[37],
como píldoras dorados[38],
que yo en mi pobre mesilla
quiero más una morcilla
que en el asador reviente, 15
y ríase la gente.
Cuando cubra las montañas
de blanca nieve el Enero,
tenga yo lleno el brasero
de bellotas y castañas, 20
y quien las dulces patrañas
del Rey que rabió[39] me cuente,
y ríase la gente.
Busque muy en hora buena
el mercader nuevos soles[40], 25
yo conchas y caracoles
entre la menuda arena,
escuchando a Filomena[41]
sobre el chopo de la fuente,
y ríase la gente. 30
Pase a media noche el mar
y arda en amorosa llama
Leandro[42] por ver su dama;
que yo más quiero pasar
del golfo de mi lagar[43] 35

[36] Confitura de naranja.

[37] Preocupaciones, inquietudes.

[38] «Cuidados dorados como píldoras» (preocupaciones mal disimuladas).

[39] Personaje de un cuento popular.

[40] Nuevas latitudes, nuevos países.

[41] Nombre de ruiseñor en la mitología griega.

[42] Personaje griego que cruzaba a nado el Helesponto (Dardanelos) para reunirse con su amada Hero.

[43] Sitio donde se pisa la uva para obtener el mosto.

la blanca o roja corriente[44],
y ríase la gente.
Pues Amor es tan crüel,
que de Píramo y su amada[45]
hace tálamo[46] una espada 40
do se junten ella y él,
sea mi Tisbe un pastel,
y la espada sea mi diente,
y ríase la gente▼.

(1581)

[44] El vino blanco o tinto.

[45] Personaje literario griego. Se suicidó creyendo muerta a su amada Tisbe; ella, al verlo, se quitó la vida con la misma espada.

[46] Lecho nupcial.

▼ Famosa letrilla burlesca. Ya a los veinte años, Góngora hace gala de esta actitud antiheroica, un tanto desengañada y cínica. Destáquense las oposiciones entre vida azarosa y vida tranquila, y véase hacia qué placeres sencillos se inclina el poeta. Hay varias alusiones a mitos y leyendas clásicos: ¿Qué papel desempeñan?

5

Valladolid, de lágrimas sois valle,
y no quiero deciros quién las llora,
valle de Josafat[47], sin que en vos hora,
cuanto más día de jüicio se halle.
5 Pisado he vuestros muros[48] calle a calle,
donde el engaño con la corte mora,
y cortesano sucio os hallo ahora,
siendo villano un tiempo de buen talle.
Todo sois Condes, no sin nuestro daño;
10 dígalo el andaluz, que en un infierno
debajo de una tabla escrita posa.
No encuentra al de Buendía en todo el año;
al de Chinchón sí ahora, y el invierno
al de Niebla, al de Nieva, al de Lodosa▾.

(1603)

[47] Lugar donde se reunirán todos los hombres para el Juicio Final.

[48] Vuestro recinto amurallado.

▾ Góngora pasó cierto tiempo en Valladolid, que fue capital de España de 1600 a 1606. Varios poemas satíricos, como este soneto, nos dicen que el poeta se sintió allí a disgusto, por el clima, el ambiente, etc. En el fondo, entronca con el tema de «menosprecio de corte y alabanza de aldea». Por lo demás, es una buena muestra del ingenio gongorino (de tipo conceptista) y de la creciente dificultad de su lengua poética. He aquí algunas notas para su comprensión:
— *Verso 2:* Se refiere a las aguas malolientes que se vertían por las calles (y no quiere decir de qué «ojos» proceden esas «lágrimas»).
— *Versos 3 - 4:* En Valladolid se juntan gentes de todas partes, como si fuera un valle de Josafat; pero allí no hay ni hora ni día de juicio (de sensatez).
— *Verso 8:* Cuando Valladolid no era corte, sino *villa* (aldea) era agradable.
— *Verso 9:* Abundaban allí los nobles o los que pretendían serlo; parece que Góngora se sintió perjudicado por algunos.
— *Versos 10 - 11:* El andaluz es el mismo Góngora que vive en un infierno, debajo, no de una losa, sino de la «tabla escrita» o enseña de una posada vallisoletana.
— *Versos 12 - 14:* Juegos de palabras con apellidos nobiliarios: en Valladolid no hace buen tiempo *(Buendía),* sino malo (*Niebla, Nieva*); las calles están llenas de barro o lodo (*Lodosa*) y abundan las chinches (*Chinchón*).

6

El Conde mi señor se fue a Napóles;
el Duque mi señor se fue a Francía:
príncipes, buen viaje, que este día
pesadumbre daré a unos caracoles.
Como sobran tan doctos españoles, 5
a ninguno ofrecí la Musa mía;
a un pobre albergue sí, de Andalucía,
que ha resistido a grandes, digo Soles.
Con pocos libros libres (libres digo
de expurgaciones[49]) paso y me paseo, 10
ya que el tiempo me pasa como higo.
No espero, en mi verdad[50], lo que no creo;
espero en mi consciencia lo que sigo:
mi salvación, que es lo que más deseo▼.

(1610)

[49] Supresiones o cortes de censura.

[50] A decir verdad, os lo aseguro.

▼ Soneto especialmente original en su época. Y sincero. En 1610, dos grandes de España (el conde de Lemos y el duque de Feria) parten en misiones importantes a Nápoles y Francia, llevando en su séquito a ciertos poetas... pero olvidándose de Góngora. El autor expresa aquí, a la vez, su despecho y su desprecio de los honores. Una vez más, se refugia en el ideal del «menosprecio de Corte» (ver el **4**). Y afirma los valores de libertad e independencia. Observaciones:
— *Versos 1 - 2:* Compruébese, por las rimas, las distorsiones burlescas de la acentuación de los nombres de las ciudades.
— *Verso 4:* «Se me da dos caracoles» quería decir «me importa poco»; a la vez, el verso sugiere: «Me comeré un plato de caracoles».
— *Versos 5 - 6:* Nótese la ironía (y la decepción).
— *Versos 7 - 8:* Se refiere a su casa de Córdoba. «Mi albergue —afirma— ha estado al abrigo de grandes... ¿nobles? Soles, quiero decir».
— *Verso 11:* «El tiempo *pasa* y me arruga como un higo seco (pero me importa un higo que pase)».
— *Verso 14:* Góngora, que fue tachado no pocas veces de impío, proclama aquí su fe, con indudable sinceridad.

POESÍA AMOROSA

7

La más bella niña
de nuestro lugar,
hoy vïuda[51] y sola
y ayer por casar,
viendo que sus ojos[52] 5
a la guerra van,
a su madre dice
que escucha su mal:
«Dejadme llorar
orillas[53] del mar. 10

»Pues me disteis, madre,
en tan tierna edad
tan corto el placer,
tan largo el pesar,
y me cautivasteis[54] 15
de quien hoy se va
y lleva las llaves
de mi libertad,
dejadme llorar
orillas del mar. 20

»En llorar conviertan
mis ojos, de hoy más[55],
el sabroso oficio
del dulce mirar,
pues que no se pueden 25
mejor ocupar,
yéndose a la guerra
quien era mi paz.
Dejadme llorar
orillas del mar. 30

»No me pongáis freno
ni queráis culpar;

[51] Porque su esposo se va a la guerra.

[52] Su amado o marido.

[53] A orillas.

[54] Me disteis por esposa (sin sentido peyorativo).

[55] De hoy en adelante.

[56] Es justo que llore y es inútil que me lo impidáis o me culpéis.

que lo uno es justo,
lo otro por demás[56].
Si me queréis bien 35
no me hagáis mal;
harto peor fuera
morir y callar.
Dejadme llorar
orillas del mar. 40

»Dulce madre mía,
¿quién no llorará
aunque tenga el pecho
como un pedernal,
y no dará voces 45
viendo marchitar
los más verdes años
de mi mocedad?
Dejadme llorar
orillas del mar. 50

Váyanse las noches,
pues ido se han
los ojos que hacían
los míos velar;
váyanse, y no vean 55
tanta soledad,
después que en mi lecho
sobra la mitad.
Dejadme llorar
orillas del mar▼.» 60

(1580)

▼ Otro famosísimo romancillo hexasílabo con estribillo (distíngase de la letrilla). Junto a la ligereza rítmica, se notará la intensidad con que se expresa el tema de la ausencia: subráyense las expresiones de pasión y de dolor. La muchacha que comunica a su madre sus penas de amor nos hace pensar en toda una línea de poesía tradicional: jarchas, cancioncillas populares... Góngora estiliza dicha línea.

8

Suspiros tristes, lágrimas cansadas,
que lanza el corazón, los ojos llueven,
los troncos bañan y las ramas mueven
de estas plantas, a Alcides consagradas[57];

5 mas del viento las fuerzas conjuradas
los suspiros desatan y remueven,
y los troncos las lágrimas se beben,
mal ellos y peor ellas derramadas.

Hasta en mi tierno rostro aquel tributo[58]
10 que dan mis ojos, invisible mano
de sombra o de aire me le deja enjuto[59],

porque[60] aquel ángel fieramente humano
no crea mi dolor, y así es mi fruto
llorar sin premio y suspirar en vano▼.

(1582)

[57] A Alcides (Hércules) estaban consagrados los álamos.

[58] Las lágrimas.

[59] Seco.

[60] Para que.

▼ Soneto de juventud en que Góngora desarrolla con notable virtuosismo el tema del amor no correspondido y del sufrimiento inútil: ni siquiera sus lágrimas podrán dar fe de su amor ante la dama.

— *Versos 1 - 4:* Nótese el recurso barroco llamado correlación. El orden sería éste:
- — Los suspiros (A) que lanza el corazón (B) mueven las ramas (C)...
- — Las lágrimas (A') que llueven los ojos (B') bañan los troncos (C')...

¿Cómo se ordenan esos elementos en el texto?

— *Versos 5 - 8:* Se prolonga la correlación anterior: el viento y los árboles hacen desaparecer, respectivamente, suspiros y lágrimas.

— *Versos 9 - 11:* Una «invisible mano» seca las lágrimas en su rostro (metáfora de la «sombra» de los álamos o del «aire»).

— *Verso 12:* Esta espléndida expresión, que designa a la amada desdeñosa, dio título a un libro de Blas de Otero (1950).

9

Mientras por competir con tu cabello
oro bruñido al sol relumbra en vano;
mientras con menosprecio en medio el llano
mira tu blanca frente el lilio[61] bello;
mientras a cada labio, por cogello, 5
siguen más ojos que al clavel temprano,
y mientras triunfa con desdén lozano[62]
del luciente cristal tu gentil cuello,
goza cuello, cabello, labio y frente,
antes que lo que fue en tu edad dorada 10
oro, lilio, clavel, cristal luciente,
no sólo en plata o víola troncada[63]
se vuelva, mas tú y ello juntamente
en tierra, en humo, en polvo, en sombra, en nada.

(1582)

[61] Lirio.

[62] Altivo y/o hermoso.

[63] Violeta tronchada.

COMENTARIO 1 (Soneto 9)

- *El soneto, dentro de una tradición clásica, habla de la belleza, del tiempo y del goce de la vida. ¿Cómo enunciarías exactamente el tema? ¿Conoces otros tratamientos o enfoques?*

- *Analiza la métrica.*

- *Observa la estructura del poema: ¿cómo se distribuye el contenido entre cuartetos y tercetos? Es muy importante la construcción sintáctica: ¿cuál es el verbo principal y dónde está?; ¿de qué clase son las subordinadas que lo rodean? ¿En qué medida contribuye todo ello a poner de relieve el tema central del soneto?*

- *En los cuartetos se exalta la belleza de la mujer. ¿Qué partes del cuerpo se evocan y con qué se las compara? Ciertas expresiones muestran la «victoria» de la belleza; señálalas.*

- *Destaca los valores sensoriales y la sonoridad de los cuartetos.*

- *Los versos 9 y 11 son enumeraciones: ¿qué elementos se recogen en ellas? ¿Sabes cómo se llama este procedimiento? Sus efectos.*

- *Comenta las imágenes de la caducidad de la belleza en los versos 12-13 (compara con las imágenes de los cuartetos).*

- *El último verso es una nueva enumeración: coméntala, fijándote en que ahora hay un término más que en las enumeraciones anteriores: ¿hacia qué palabra se conduce nuestra atención?*

- *Conclusiones: Síntesis y valoración del soneto, atendiendo especialmente al arte de Góngora. Por su tema y por su estilo, ¿hasta qué punto resulta representativo de su tiempo?*

10

La dulce boca que a gustar convida
un humor entre perlas[64] destilado,
y a no envidiar aquel licor sagrado
que a Júpiter ministra el garzón de Ida[65],

amantes, no toquéis[66], si queréis vida; 5
porque entre un labio y otro colorado
Amor está, de su veneno armado[67],
cual entre flor y flor sierpe escondida.

No os engañen las rosas[68], que a la Aurora
diréis que, aljofaradas[69] y olorosas, 10
se le cayeron del purpúreo seno;

manzanas son de Tántalo[70], y no rosas,
que después huyen del que incitan ahora,
y sólo del Amor queda el veneno▼.

(1584)

[64] Dientes (sensual alusión al beso).

[65] El joven Ganimedes es quien administra el licor sagrado a Júpiter.

[66] No toquéis la boca que se os ofrece.

[67] Cupido con sus dardos envenenados.

[68] Los colores de las mejillas.

[69] Cubiertas de perlas (aquí, de rocío).

[70] Personaje mitológico (cf. *infra*).

▼ Ya en este soneto relativamente temprano expresa Góngora, como hará en otras ocasiones (por ejemplo en el poema **4**), su prevención ante el amor, su voluntad de huir de los sinsabores que puede acarrear. Dos aclaraciones:
— *Primer terceto:* El color de las mejillas hace pensar en unas rosas cubiertas de rocío y olorosas que se le cayeron a la aurora de su seno.
— *Versos 12 - 13:* Tántalo estaba condenado a no poder beber ni comer las frutas que tenía a su alcance: las ramas se alejaban cuando extendía la mano.

11

DE UN CAMINANTE ENFERMO QUE SE ENAMORÓ DONDE FUE HOSPEDADO

Descaminado, enfermo, peregrino
en tenebrosa noche, con pie incierto
la confusión pisando del desierto,
voces en vano dio, pasos sin tino.
5 Repetido latir[71], si no vecino,
distinto oyó de can siempre despierto,
y en pastoral albergue mal cubierto
piedad halló, si no halló[72] camino.
Salió el sol, y entre armiños escondida,
10 soñolienta beldad con dulce saña
salteó al no bien sano pasajero.
Pagará el hospedaje con la vida;
más le valiera errar en la montaña,
que morir de la suerte que yo muero▼.

(1594)

[71] Ladrar, ladridos.

[72] Léase *no halló* sin hacer sinalefa.

12

Las flores del romero,
niña Isabel,
hoy son flores azules,
mañana serán miel.

▼ Es posible que este soneto se base en una experiencia real, pero Góngora nos la cuenta a la manera de las tradicionales «cantigas de serrana» o «serranillas» (encuentro de un viajero perdido y una beldad rústica, con diversos desenlaces: cfr. una muestra en Lope de Vega, **44**). Por lo demás, ilustra el tema de los estragos que puede causar el amor (véase el soneto precedente). La hipérbole del morir de amor —verso 14— es un tópico procedente de la lírica trovadoresca.

Celosa estás, la niña, 5
celosa estás de aquel
dichoso, pues le buscas,
ciego, pues no te ve,
ingrato, pues te enoja
y confiado, pues 10
no se disculpa hoy
de lo que hizo ayer.
Enjuguen esperanzas
lo que lloras por él[73];
que celos entre aquellos 15
que se han querido bien
hoy son flores azules,
mañana serán miel.
Aurora de ti misma[74];
que cuando a amanecer 20
a tu placer empiezas,
te eclipsan tu placer.
Serénense tus ojos,
y más perlas[75] no des,
porque al Sol le está mal 25
lo que a la Aurora bien[76].
Desata como nieblas[77]
todo lo que no ves;
que sospechas de amantes
y querellas después 30
hoy son flores azules,
mañana serán miel▼.

(1608)

[73] Que las esperanzas sequen tus lágrimas.

[74] La muchacha es un sol que se anuncia a sí misma.

[75] Lágrimas.

[76] La aurora lleva otras «perlas»: las gotas de rocío.

[77] Disipa tus sospechas como el sol disipa la niebla.

▼ Otro delicioso romance con estribillo (romance endecha ahora: de versos heptasílabos). Está destinado a disipar los celos de una muchacha (celos simbolizados por el color azul). El estribillo procede de una cancioncilla tradicional que también imitaron otros poetas (cfr. Lope, **28**). Destáquese la elaboración culta, sobre todo en la segunda parte, con las metáforas *sol, aurora, perlas,* etc.

13

No son todos ruiseñores
los que cantan entre las flores,
sino campanitas de plata[78],
que tocan al alba;
5 *sino trompeticas de oro*[79]
que hacen la salva[80]
a los soles[81] *que adoro.*

No todas las voces ledas[82]
son de sirenas con plumas[83],
10 cuyas húmedas espumas
son las verdes alamedas[84];
si suspendido te quedas
a los süaves clamores,
no son todos ruiseñores, etc.

15 Lo artificioso que admira,
y lo dulce que consuela,
no es de aquel violín que vuela
ni de esotra inquieta lira[85];
otro instrumento es quien tira
20 de los sentidos mejores[86]:
no son todos ruiseñores, etc ▾.

(1609)

[78] El murmullo cristalino de un arroyo.

[79] El zumbido de las abejas.

[80] Dan la bienvenida.

[81] Ojos.

[82] Alegres.

[83] Ruiseñores.

[84] Las alamedas son para las aves como el mar para las sirenas.

[85] Metáforas musicales para los pájaros (violín, lira).

[86] Otra cosa es la que más me atrae.

▾ Esta delicadísima letrilla ha guardado durante largo tiempo su misterio. Las metáforas del estribillo (versos 3 y 5) y, sobre todo, la frase de los versos 19 - 20 hicieron pensar en una presencia espiritual, en una experiencia casi mística. Robert Jammes ha desentrañado irrebatiblemente su sentido. Estamos ante una cita amorosa al amanecer, en el campo; y, frente al tópico de los ruiseñores como símbolo del amor, Góngora destaca otros sonidos más humildes: el murmullo de un arroyo y el susurro de unas abejas libando (que, para Góngora, según otra versión de este poema, «convocan amores»). ¿Empobrece esta interpretación nuestra lectura de la letrilla?

POESÍA GRAVE (MORAL, RELIGIOSA, ETC.)

14

A CÓRDOBA

¡Oh excelso muro, oh torres coronadas
de honor, de majestad, de gallardía!
¡Oh gran río, gran rey de Andalucía,
de arenas nobles, ya que no doradas[87]!

¡Oh fértil llano, oh sierras levantadas, 5
que privilegia el cielo y dora el día!
¡Oh siempre glorïosa patria mía,
tanto por plumas cuanto por espadas[88]!

Si entre aquellas rüinas y despojos
que enriquece Genil y Dauro[89] baña 10
tu memoria no fue alimento mío,

nunca merezcan mis ausentes ojos
ver tu muro, tus torres y tu río,
tu llano y sierra, ¡oh patria, oh flor de España▼!

(1585)

[87] El Guadalquivir no tenía arenas auríferas como las tuvo el Darro (o Dauro).

[88] Tanto por las letras como por las armas.

[89] Los dos ríos de Granada, desde los que Góngora evoca a Córdoba.

▼ Como revela al primer terceto, este soneto fue escrito desde Granada. Destáquese la hondura que adquiere la nostalgia de la patria chica y, a la vez, la perfección formal. En los versos 13 - 14, antes de la emocionada exclamación hay una «recolección» de términos aparecidos en los cuartetos (es un recurso que ya nos es conocido por un soneto anterior: ¿cuál?).

15

Aprended, Flores, en mí
lo que va de ayer a hoy,
que ayer maravilla fui,
y hoy sombra mía aun no[90] *soy.*

5 La aurora ayer me dio cuna,
la noche ataúd me dio;
sin luz muriera si no
me la prestara la Luna:
pues de vosotras ninguna
10 deja de acabar así,
aprended, Flores, en mí, etc.

Consuelo dulce el clavel
es a la breve edad mía,
pues quien me concedió un día,
15 dos apenas le dio a él:
efímeras[91] del vergel,
yo cárdena, él carmesí.
Aprended, Flores, en mí, etc.

Flor es el jazmín, si bella,
20 no de las más vividoras,
pues dura pocas más horas
que rayos tiene de estrella[92];
si el ámbar florece, es ella
la flor que él retiene en sí.
25 *Aprended, Flores, en mí,* etc.

El alhelí, aunque grosero[93]
en fragancia y en color,
más días ve que otra flor,
pues ve los de un Mayo entero:
30 morir maravilla quiero
y no vivir alhelí[94].
Aprended, Flores, en mí, etc.

[90] Ni siquiera. (O sea: «No soy ni sombra de lo que fui»).

[91] De corta duración.

[92] «Rayos de estrella» se refiere a los pétalos (el jazmín tiene cinco).

[93] Ordinario, basto. (Aquí no se valora positivamente al alhelí.)

[94] Prefiero morir pronto siendo *flor de la maravilla* a vivir más tiempo siendo un simple alhelí.

A ninguna flor mayores
términos[95] concede el Sol
que al sublime[96] girasol, 35
Matusalén[97] de las flores:
ojos son aduladores
cuantas en él hojas vi.
Aprended, Flores, en mí, etc▼.

(1621)

[95] Mayores plazos.

[96] Alto.

[97] Personaje bíblico famoso por su longevidad.

▼ Esta letrilla —como nos descubren los versos 3 y 30— está puesta en boca de la *flor de la maravilla,* planta originaria de América cuyas flores se abren al amanecer y se marchitan a la noche. Góngora nos ofrece aquí un personal tratamiento del tema de la brevedad de la vida. Diversos tonos conviven en esta letrilla: por una parte, un exquisito lirismo (valórese); junto a ello, ciertos toques de desenvoltura y hasta de humor, en una línea conceptista (muéstrese en qué versos). Se observarán, en fin, ciertos hipérbatos característicos.

16

AL NACIMIENTO DE CRISTO NUESTRO SEÑOR

Caído se le ha un Clavel[98]
hoy a la Aurora[99] *del seno:*
¡qué glorioso que está el heno[100]*;*
porque ha caído sobre él!
5 Cuando el silencio tenía
todas las cosas del suelo[101],
y, coronada del yelo,
reinaba la noche fría,
en medio la monarquía
10 de tiniebla tan crüel[102],
caído se le ha un Clavel, etc.
De un solo Clavel ceñida,
la Virgen, Aurora bella,
al mundo se lo dio, y ella
15 quedó cual antes florida[103];
a la púrpura[104] caída
sólo fue el heno fiel.
Caído se le ha un Clavel, etc.
El heno, pues, que fue dino[105],
20 a pesar de tantas nieves,
de ver en sus brazos leves
este rosicler[106] divino,
para su lecho fue lino,
oro para su dosel[107].
25 *Caído se le ha un Clavel,* etc▼.

(1621)

[98] El Niño Jesús.

[99] La Virgen.

[100] Heno o pajas del pesebre.

[101] Cuando reinaba el silencio.

[102] En medio del poder de la noche.

[103] Los versos 12-15 se refieren a la virginidad de María después del parto.

[104] La púrpura es el Clavel, el Niño Jesús.

[105] Digno.

[106] Color rosado (el Niño es del color de la Aurora=Virgen).

[107] El heno hace de sábanas (*lino*) y de dosel dorado para el Niño.

▼ La poesía religiosa no es la más abundante ni la mejor de Góngora, salvo excepciones como esta bellísima letrilla escrita en la plenitud del autor (nótese, ante todo, su dificultad). Junto a la delicadeza de la visión y del tono, se observarán los rasgos característicos de una elaboración cultísima de la tradicional poesía navideña (un ejemplo: el efecto que embellece al heno en la última estrofa).

17

AL EXCELENTÍSIMO SEÑOR EL CONDE-DUQUE

[108] Expresión intencionadamente ambigua (cfr. *infra*).

[109] Expulsado.

En la capilla estoy[108], y condenado
a partir sin remedio desta vida;
siento la causa aun más que la partida,
por hambre expulso[109] como sitïado.

[110] De condición apocada, tímido.

Culpa sin duda es ser desdichado; 5
mayor, de condición ser encogida[110]
De ellas me acuso en esta despedida,
y partiré a lo menos confesado.

[111] Alude al hacha del verdugo.

Examine mi suerte el hierro agudo[111],
que a pesar de sus filos me prometo 10
alta piedad de vuestra excelsa mano.

[112] Apocamiento, timidez (ver nota 110).

[113] Las cadencias, el ritmo.

Ya que el encogimiento[112] ha sido mudo,
los números[113], Señor, deste soneto
lenguas sean y lágrimas no en vano▼.

(1623 ó 1625)

▼ Impresionante soneto de su vejez, en que se lamenta de las penalidades y estrecheces de su vida en la Corte. Con dramática hipérbole, habla como si estuviera condenado a muerte y pide ayuda al conde-duque de Olivares, valido de Felipe IV. Partiendo de esto, se comprenderán mejor ciertos pasajes:
— En el *primer cuarteto,* Góngora juega con las expresiones «estar en capilla» (condenado a muerte) y «partir de esta vida» (morir). Pero, a la vez, él estaba encargado de la Capilla Real y se veía impulsado a dejar la vida en la Corte por dificultades económicas, como confiesa en los versos 3-4.
— En el *segundo cuarteto,* se lamenta de su suerte y de su carácter, y se despide «confesado» (como el condenado que ha confesado sus pecados, él ha confesado sus tribulaciones).
— Y es en los tercetos donde pide la ayuda del conde-duque.
Júzguese qué hay de circunstancial y qué de auténtico en este soneto. Valórese en consecuencia.

LOS GRANDES POEMAS

18

FÁBULA DE POLIFEMO Y GALATEA▼

(1613)

[La morada de polífemo]

Donde espumoso el mar siciliano
el pie argenta de plata al Lilibeo[114]
(bóveda o de las fraguas de Vulcano,
o tumba de los huesos de Tifeo),
5 pálidas señas cenizoso un llano
—cuando no del sacrílego deseo—
del duro oficio da. Allí una alta roca
mordaza es a una gruta, de su boca▼▼.

Guarnición tosca de este escollo duro
10 troncos robustos son, a cuya greña

[114] Monte de Sicilia.

▼ Como otros poetas del Siglo de Oro (Castillejo, Carrillo, Lope...), Góngora se sintió fascinado por este mito que recoge Ovidio en sus *Metamorfosis.* Los fragmentos que hemos escogido darán una idea de la fábula y de la personal y audacísima elaboración gongorina. Dada su dificultad, y siguiendo el ejemplo de Dámaso Alonso, ofrecemos versiones en prosa aclaratorias de cada octava real, aparte de las notas y observaciones.

▼▼ *«Donde el mar siciliano, con sus espumas, adorna de plata el pie del monte Lilibeo (en el que se localizaban la fragua de Vulcano y la tumba de Tifeo, uno de los gigantes que pretendió asaltar el cielo), un llano cubierto de cenizas volcánicas parece dar señas del sacrílego deseo de Tifeo (es decir, de sus restos) o del duro oficio de Vulcano. Allí, en lo alto, una piedra enorme tapa —como si fuera una mordaza— la boca de una gruta.»*
— Atiéndase desde ahora a los efectos sensoriales (por ejemplo, en los v v. 1-2).
— Nótese la «correlación» entre los v v. 3-4 y 6-7. (Compárese con lo dicho sobre el soneto **8**).
— La metáfora *mordaza* es muy original: no apunta a la belleza, sino a la expresividad; y su base es una comparación ingeniosa (¿conceptismo?).

menos luz debe, menos aire puro
la caverna profunda, que a la peña;
caliginoso[115] lecho, el seno obscuro
ser de la negra noche nos lo enseña
infame turba de nocturnas aves, 15
gimiendo tristes y volando graves▼.
De este, pues, formidable[116] de la tierra
bostezo, el melancólico vacío
a Polifemo, horror de aquella sierra,
bárbara choza es, albergue umbrío 20
y redil espacioso donde encierra
cuanto las cumbres ásperas cabrío,
de los montes, esconde: copia[117] bella
que un silbo[118] junta y un peñasco sella▼▼.

[115] Oscuro, tenebroso (es un cultismo).

[116] Terrible, espantoso (significado originario).

[117] Abundancia, riqueza (cultismo).

[118] Silbido.

▼ *«La dura piedra que tapa la gruta está toscamente guarnecida por unos robustos árboles; a su enmarañado ramaje debe la profunda caverna aún menos luz y menos aire puro que a la piedra misma. Además, que el seno oscuro de la cueva es lecho o morada tenebrosa de la negra noche, nos lo revela una infame turba de aves nocturnas que gimen tristes y vuelan pesadamente en su interior.»*
— La metáfora *greña* es del mismo tipo que la señalada antes: coméntese.
— Toda la estrofa está dominada por la oscuridad: subráyense los recursos que la realzan; su cima es el verso 15: nótense los valores del léxico y de la sonoridad (¿qué sílaba, y qué vocal quedan destacadas por los acentos rítmicos de 4.ª y 8.ª?).
— Un verso bimembre da a menudo un remate perfecto a la octava; aquí tenemos un buen ejemplo. Búsquense otros en lo que sigue.

▼▼ *«Pues bien, el melancólico vacío de esta gruta, que es como un formidable bostezo de la tierra, le sirve a Polifemo —horror de aquella sierra— de bárbara choza, de albergue sombrío y de redil espacioso en el que encierra todo cuanto ganado cabrío esconde o cubre —por ser tan abundante— las cumbres ásperas de los montes; ese ganado es bella riqueza que el gigante reúne con un silbido y encierra con el peñasco.»*
— Otra metáfora particular: *bostezo.* Adviértase su semejanza con las señaladas en las octavas anteriores: por la índole nada noble de las tres palabras están muy lejos de las metáforas embellecedoras que Góngora usa en otros momentos, y en este mismo poema (búsquense ejemplos y compárense).
— Hay en esta estrofa dos buenos ejemplos de hipérbaton extremo: analícense y coméntense su originalidad y sus valores.

[Descripción del Cíclope]

Un monte era de miembros eminente[119]
este (que, de Neptuno hijo fiero,
de un ojo ilustra el orbe de su frente,
émulo casi del mayor lucero)
5 cíclope, a quien el pino más valiente,
bastón, le obedecía, tan ligero,
y al grave peso junco tan delgado,
que un día era bastón y otro cayado▼.

Negro el cabello, imitador undoso
10 de las obscuras aguas del Leteo[120],
al viento que lo peina proceloso[121],
vuela sin orden, pende sin aseo;
un torrente es su barba impetüoso,
que (adusto[122] hijo de este Pirineo)
15 su pecho inunda, o tarde, o mal, o en vano
surcada aun de los dedos de su mano▼▼.

(Sigue su descripción en cuatro estrofas más.)

119 Muy alto.

120 Mítico río del olvido, en los infiernos.

121 Tempetuoso.

122 Áspero (su barba era poblada y áspera).

▼ *«Como un alto monte de miembros era este cíclope —fiero hijo de Neptuno—, en cuya frente, ancha como un orbe, brilla un ojo que casi puede rivalizar con el sol; el más fuerte pino le servía de bastón ligero y, a su gran peso, se doblaba como un delgado junco, de tal modo que un día era recto bastón y al día siguiente corvo cayado.»*
— La hipérbole grandiosa, las imágenes telúricas, son la base de esta octava y la siguiente.
— Nótese la complejidad sintáctica: separación de *este* y *cíclope*, etc.

▼▼ *«Su cabello negro, que imita con sus ondas a las oscuras aguas del río Leteo, vuela sin orden ante el viento tempestuoso o cuelga desaseado; su barba es como un torrente impetuoso que ha nacido en lo alto de este Pirineo (el gigante) e inunda su pecho, y Polifemo sólo lo peina con sus dedos, de tarde en tarde, mal o inútilmente.»*

[Descripción de Galatea]

Ninfa, de Doris[123] hija, la más bella,
adora, que vio el reino de la espuma.
Galatea es su nombre, y dulce en ella
el terno[124] Venus de sus Gracias suma.
Son una y otra luminosa estrella 5
lucientes ojos de su blanca pluma:
si roca de cristal no es de Neptuno,
pavón[125] de Venus es, cisne de Juno▼.

Purpúreas rosas sobre Galatea
la Alba entre lilios cándidos[126] deshoja: 10
duda el Amor cuál más su color sea,
o púrpura nevada, o nieve roja.

[123] Diosa del mar, hija del Océano.

[124] Conjunto de tres cosas.

[125] Pavo real.

[126] Lirios blancos, azucenas.

▼ *«Polifemo adora a una ninfa, hija de Doris, la más bella que vio el reino de la espuma. Galatea es su nombre, y dulcemente reúne en ella Venus el encanto de sus tres Gracias. Sus lucientes ojos son dos luminosas estrellas en su piel tan blanca como las plumas del cisne: de tal modo que —si no es una roca cristalina del mar— parece pavo real de Venus o cisne de Juno.»*

— En esta estrofa y la siguiente, en contraste con la monstruosidad de Polifemo, Góngora extrema la belleza de Galatea. Como consecuencia, y entre otras cosas, las imágenes diferirán notoriamente de las empleadas al hablar del mundo del cíclope y de su figura. Atiéndase a ello.

— Para entender el último verso, téngase en cuenta que, en el plumaje del pavo real, se dibujan unos «ojos»; el cisne, por su parte, es dechado de blancura. El pavo real está consagrado a la diosa Juno, y el cisne a Venus; pero Góngora invierte aquí esas relaciones para indicar que las cualidades de ambas aves se mezclan en Galatea.

De su frente la perla es, eritrea[127],
émula vana. El ciego dios se enoja,
15 y, condenado su esplendor, la deja
pender en oro al nácar de su oreja▼.

[127] Del mar Rojo o Eritreo.

(Sigue la descripción de Galatea, que no corresponde a Polifemo. Nace, en cambio, el amor entre ella y el joven Acis. Véase a continuación un momento de esos amores, cuando, tomando ejemplo de unas palomas, se dan el primer beso.)

▼ *«Se diría que la luz del alba deshoja sobre Galatea rosas rojas que se mezclan con la blancura de azucena de su piel; el dios Amor duda cuál es el verdadero color de la ninfa, si púrpura nevada o nieve roja. La perla del mar Eritreo intenta en vano rivalizar con la belleza de su frente. El ciego dios Cupido, enojado con la perla, condena su esplendor y, a lo más, le permite ser —engastada en oro— un pendiente para la oreja nacarada de Galatea.»* — Se trata de una estrofa especialmente bella: póngase de relieve el arte de la matización pictórica en sus efectos sensoriales. La construcción de algunos versos es de una perfección insuperable.

[Amor de Acis y Galatea]

Sobre una alfombra (que imitara en vano
el tirio[128] sus matices, si bien era
de cuantas sedas ya hiló, gusano,
y, artífice, tejió la Primavera)
reclinados, al mirto más lozano, 5
una y otra lasciva, si ligera,
paloma se caló[129], cuyos gemidos
—trompas de amor— alteran sus oídos▼.
El ronco arrullo al joven solicita;
mas, con desvíos Galatea suaves, 10
a su audacia los términos limita,
y el aplauso al concento[130] de las aves.
Entre las ondas y la fruta, imita
Acis al siempre ayuno en penas graves[131]:
que, en tanta gloria, infierno son no breve, 15
fugitivo cristal, pomos[132] de nieve▼▼.

128 La antigua Tiro era famosa por sus tintes.

129 Se abatió, se posó.

130 Conjuntación armónica de varias voces.

131 Se refiere a Tántalo (ver nota 70).

132 Frutos.

▼ *«Estando reclinados sobre una alfombra de hierba y flores (cuyos matices no podrían imitar los colores de Tiro, aunque sólo estaba hecha por las sedas que la primavera hiló, como gusano, y tejió, como artífice), una pareja de enceladas y ligeras palomas se posó en el mirto más lozano; sus gemidos o arrullos —como trompetas que incitaran al amor— llenan de turbación los oídos de Acis y Galatea.»*
— La complejidad sintáctica de esta octava es extrema: se requiere un análisis muy preciso para desentrañar el sentido (como se verá comparando con la versión en prosa).

▼▼ *«El ronco arrullo incita al joven; pero Galatea, con sus suaves desvíos, pone freno a los extremos de su atrevimiento y a su deseo de aplaudir e imitar el canto armonioso y las acciones de las aves. Acis se parece a Tántalo, cerca del agua y de la fruta, pero siempre ayuno (condenado a no saciar su sed ni su hambre). Así, cerca de la belleza de Galatea, que podría ser gloria, es para él un infierno o sufrimiento no pequeño el ver aquellos brazos cristalinos —pero huidizos— y aquellos senos tan blancos —y esquivos—.»*
— Destaca en esta estrofa, como en la siguiente, la fina e intensa sensualidad gongorina (rasgo en el que no siempre se ha insistido) y, como siempre, la belleza.
— *Verso 14:* El autor compara con frecuencia el cuello o los miembros con cristal (se hallarán otros ejemplos en esta misma antología).

No a las palomas concedió Cupido
juntar de sus dos picos los rubíes,
cuando al clavel el joven atrevido
20 las dos hojas le chupa carmesíes.
Cuantas produce Pafo, engendra Gnido[133],
negras violas[134], blancos alhelíes,
llueven sobre el que Amor quiere que sea
tálamo[135] de Acis ya y de Galatea▼.

[133] Pafos y Gnido eran ciudades consagradas a Venus, diosa del amor.

[134] Violetas.

[135] Lecho nupcial.

(Vuelve a aparecer Polifemo. Su canto de amor a Galatea ocupa un buen número de estrofas. Pero, tras él, descubre a los dos jóvenes abrazados, que se dan a la fuga. Polifemo dará muerte a Acis.)

▼ *«Apenas había concedido Cupido a las palomas que juntaran sus rojos picos, cuando el joven atrevido besa los labios de Galatea, que son como los pétalos carmesíes de un clavel. Todas las oscuras violetas y los blancos alhelíes de Pafos y de Gnido llueven sobre aquel lugar que, por voluntad del Amor, será ya el tálamo de Acis y Galatea.»*
— Véase la primera observación a la estrofa anterior.

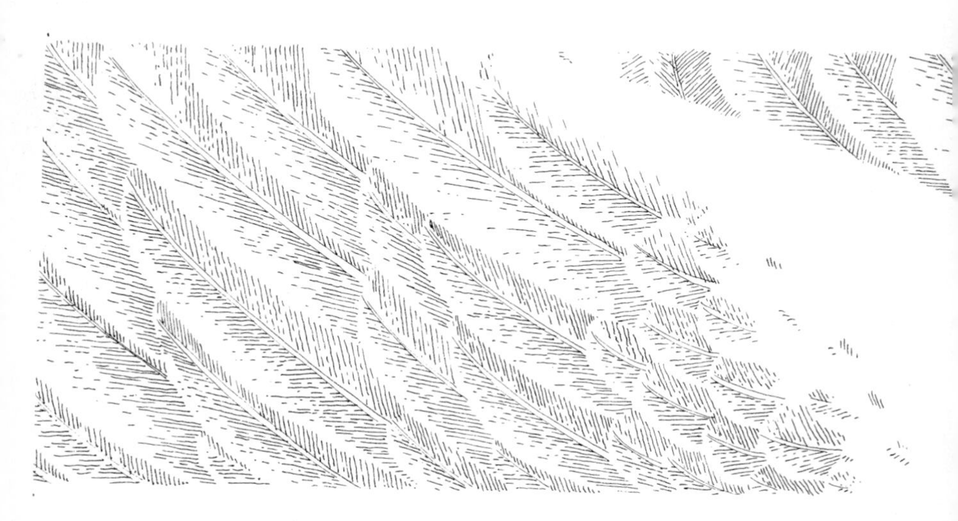

[Muerte de Acis]

Viendo el fiero jayán[136], con paso mudo
correr al mar la fugitiva nieve
(que a tanta vista el líbico[137] desnudo
registra el campo de su adarga[138] breve)
5 y al garzón[139] viendo, cuantas mover pudo
celoso trueno, antiguas hayas mueve:
tal, antes que la opaca nube rompa,
previene rayo fulminante trompa▼.

Con vïolencia desgajó infinita,
10 la mayor punta de la excelsa roca,
que al joven, sobre quien la precipita,
urna[140] es mucha, pirámide no poca.

136 Gigante.

137 Habitante de Libia.

138 Escudo.

139 Joven.

140 Urna sepulcral, tumba.

▼ *«Viendo el fiero gigante que, con pasos sigilosos, huía corriendo hacia el mar la blanca Galatea (pues la mirada de Polifemo es tan potente que, desde Sicilia, le resultaban visibles los pequeños escudos de los desnudos guerreros libios) y viendo además al muchacho, con un grito de celos conmovió o hizo temblar a tantas antiguas hayas como puede hacer temblar un trueno, de igual modo que la fulminante trompeta del trueno anuncia al rayo, antes de que éste desgarre la oscura nube.»*

— Compárese detenidamente la estrofa con la versión en prosa para vencer su gran dificultad y valorar la audacia gongorina.

Con lágrimas la ninfa solicita
las deidades del mar, que Acis invoca:
concurren todas, y el peñasco duro 15
la sangre que exprimió, cristal fue puro▾.

Sus miembros lastimosamente opresos
del escollo fatal fueron apenas,
que los pies de los árboles más gruesos
calzó el líquido aljófar[141] de sus venas. 20
Corriente plata al fin sus blancos huesos,
lamiendo flores y argentando arenas,
a Doris[142] llega, que, con llanto pío,
yerno lo saludó, lo aclamó río▾▾.

(Aquí termina el poema.)

[141] Perlas, rocío; aquí es líquido transparente.

[142] Recuérdese que es la madre de Galatea (ver nota 123).

▾ *«Con una infinita violencia, arrancó de la alta montaña el mayor picacho, que va a ser para el joven Acis una enorme tumba o una no pequeña pirámide funeraria. Con lágrimas, la ninfa solicita ayuda a las deidades del mar, invocadas a la vez por Acis. Y todas las divinidades invocadas acuden y hacen que la sangre exprimida por el duro peñasco se transforme en agua cristalina.»*
— Como se ve, esta octava recoge el momento preciso de la «metamorfosis», que se desarrolla en la última estrofa.

▾▾ *«Apenas quedaron sus miembros lastimosamente aplastados por la roca fatal, cuando el líquido cristalino que salía de sus venas regó los pies de los árboles más gruesos. En fin, sus blancos huesos quedaron convertidos también en una corriente de agua plateada que, lamiendo flores y plateando las doradas arenas, llega hasta el mar, donde habita Doris, que, con llanto piadoso, lo saluda como a yerno y lo aclama como a río.»*
— Es un final a la vez triste y glorioso: Acis muere, pero, merced a la prodigiosa metamorfosis, será en adelante uno de los dioses-río de la mitología clásica. Y según una de las versiones del mito, Galatea se arrojó al mar para reunirse con Acis.

19

SOLEDADES▾
(1613)

(La Soledad Primera *comienza presentando a un joven que, habiendo naufragado, llega a una playa.)*

Era del año la estación florida
en que el mentido[143] robador de Europa
—media luna las armas de su frente,
y el Sol todos los rayos de su pelo—,
5 luciente honor del cielo,
en campos de zafiro pace estrellas▾▾;
cuando el que ministrar[144] podía la copa
a Júpiter mejor que el garzón[145] de Ida
—náufrago y desdeñado, sobre ausente—,
10 lagrimosas de amor dulces querellas
da al mar; que condolido,
fue a las ondas, fue al viento

[143] Engañoso.

[144] Administrar, servir.

[145] Joven.

▾ Góngora se había propuesto componer un largo poema en cuatro partes: *Soledad de los campos, de las riberas, de las selvas y del yermo,* pero sólo desarrolló las dos primeras (y la segunda está incompleta). La complejidad del estilo es aún mayor que en el Polifemo: ello se debe, entre otras cosas, a que ahora —frente a una estrofa breve y cerrada como era la octava real— Góngora emplea la *silva,* que le permite una andadura más suelta y un desarrollo más complejo y sinuoso de la frase. No insistiremos en ello: confróntense atentamente los versos y nuestra versión en prosa.

▾▾ *«Era la primavera, esa estación florida del año en que el sol está en conjunción con la constelación de Tauro (signo que recuerda la transformación de Júpiter en toro para raptar a la princesa Europa). Y Tauro —cuyos cuernos son como una media luna y cuyos cabellos se confunden con los rayos del sol—, luciente honor del cielo, parece que pace estrellas en los campor celestes de color azul zafiro.»*

146 Personaje mitológico (cfr. *infra.*).

147 Dios griego del viento del sur.

148 Alusión a la aventura de Arión, ya citada.

149 Un desierto como el de Libia.

el mísero gemido,
segundo de Arión[146] dulce instrumento▼.
Del siempre en la montaña opuesto pino 15
al enemigo Noto[147],
piadoso miembro roto
—breve tabla— delfín[148] no fue pequeño
al inconsiderado peregrino
que a una Libia[149] de ondas su camino 20
fio, y su vida a un leño▼▼.
Del Océano pues antes sorbido,
y luego vomitado
no lejos de un escollo coronado
de secos juncos, de calientes plumas 25
—alga todo y espumas—,
halló hospitalidad donde halló nido
de Júpiter el ave▼▼▼.

▼ *«Fue entonces cuando un joven —tan hermoso que podía servirle la copa a Júpiter mejor que su propio copero, el joven Ganimedes de Ida—, náufrago además de alejado y desdeñado de su amada, vierte dulces y lagrimosas quejas al mar. Y el mar se apiadó, y el mísero gemido del joven fue para las olas y para el viento como el sonido de la lira de Arión, pues los aplacó.»* — *Verso 16:* Arión, gracias a su música, se salvó de morir en el mar: habiendo sido arrojado de su nave, un delfín, que le había oído tocar la lira, lo llevó a tierra en su lomo.

▼▼ *«Un piadoso trozo —o pequeña tabla— de pino (árbol siempre opuesto en la montaña a su enemigo el viento Noto) fue como un delfín no pequeño para aquel peregrino inconsiderado o imprudente que había emprendido su camino por un desierto de olas, confiando su vida a un barco de madera.»*

▼▼▼ *«Así pues, tras haber sido tragado por el océano, fue luego devuelto a tierra, no lejos de un escollo coronado de nidos de águilas hechos de juncos secos y calientes plumas; el náufrago, cubierto de algas y espumas, halló hospitalidad, pues, cerca de donde anidaba el águila, ave consagrada a Júpiter.»*

Besa la arena, y de la rota nave
30 aquella parte poca
que le expuso en la playa dio a la roca:
que aun se dejan las peñas
lisonjear[150] de agradecidas señas ▼.
Desnudo el joven, cuanto ya el vestido
35 Océano ha bebido,
restituir le hace a las arenas;
y al sol lo extiende luego,
que, lamiéndolo apenas
su dulce lengua de templado fuego,
40 lento lo embiste, y con süave estilo
la menor onda chupa al menor hilo ▼▼.

[150] Agradar.

(El náufrago será acogido por unos pastores en su cabaña y, al día siguiente, acudirá con los serranos a una boda aldeana, cuyos festejos se cuentan. Reproducimos un fragmento del canto nupcial que entonan un coro de zagalas y otro de mozos. Así saludan a los novios.)

▼ *«Besa la arena y ofreció a la roca aquella pequeña tabla de la rota nave que lo llevó hasta la playa: pues también las peñas se dejan halagar con agradecidas señas.»*

▼▼ *«Se desnuda el joven y, escurriéndolo, hace que su vestido devuelva a las arenas toda el agua del océano que había bebido; luego, lo extiende al sol, que da en él como si lo embistiese, lamiéndolo apenas con su dulce lengua de templado fuego, y suavemente seca hasta la menor gota de los menores hilos de la tela.»*
— Subráyese la belleza de la metáfora de los versos 38-39, con un verso perfecto, el 39.

CORO I

Ven, Himeneo[151], ven donde te espera
con ojos y sin alas un Cupido,
cuyo cabello intonso[152] dulcemente
niega el vello que el vulto[153] ha colorido:
el vello, flores de su primavera, 5
y rayos el cabello de su frente.
Niño amó la que adora adolescente,
villana Psiques[154], ninfa labradora
de la tostada Ceres[155]. Esta, ahora,
en los inciertos de su edad segunda 10
crepúsculos[156], vincule tu coyunda[157]
a su ardiente deseo.
Ven, Himeneo, ven; ven, Himeneo▼.

[151] Dios del matrimonio.

[152] Largo, sin cortar.

[153] Rostro.

[154] Amada de Cupido, con la que se compara a la novia.

[155] Diosa de las espigas.

[156] Aquí significa el amanecer y, figuradamente, los comienzos de la adolescencia.

[157] Lazo, unión (matrimonial aquí).

▼ *«Ven, Himeneo, ven donde te espera el novio, que es como un Cupido, pero con ojos y sin alas, cuyos cabellos largos cubren el vello que ya le colorea el rostro: ese vello viene a ser como flores de su primavera y el cabello rubio es como rayos de su frente. Desde niño amó a la que, ya adolescente, adora: una Psiquis aldeana, una ninfa labradora de la morena Ceres. Que esta muchacha —ahora apenas en los comienzos de su adolescencia— responda, aceptando tu lazo, Himeneo (o sea, accediendo al matrimonio), al ardiente deseo del novio. Ven Himeneo...»*

— Vuelve a mostrarse la capacidad de Góngora para ponderar —hasta lo hiperbólico— la belleza juvenil (más bien adolescente aquí). Apréciese en esta estrofa y, sobre todo, en la siguiente.

CORO II

Ven, Himeneo, donde, entre arreboles
15 de honesto rosicler[158], previene el día
—aurora de sus ojos soberanos—
virgen tan bella, que hacer podría
tórrida la Noruega con dos soles,
y blanca la Etiopía con dos manos.
20 Claveles del abril, rubíes tempranos,
cuantos engasta el oro del cabello,
cuantas —del uno ya y del otro cuello
cadenas— la concordia engarza rosas,
de sus mejillas, siempre vergonzosas,
25 purpúreo son trofeo.
Ven, Himeneo, ven; ven, Himeneo▼.

[158] Color rosado de la aurora.

▼ *«Ven, Himeneo, donde, entre arreboles de puro rosicler, anuncia la luz del día —luz que parece venir de sus ojos soberanos— a una virgen bellísima que con sus ojos podría volver cálida a Noruega y con sus blancas manos inundar de blancura la negra Etiopía. Los claveles tempranos de abril, como rubíes engastados en el oro de su pelo, y las rosas que la concordia engarza —y que son ya cadenas para unir los cuellos de ambos jóvenes—, son como el purpúreo trofeo de sus mejillas, siempre vergonzosas (es decir: al igual que la aurora parece brotar de sus ojos, los claveles y las rosas que la adornan parecen proceder del rubor de sus mejillas). Ven, Himeneo...»*

LOPE DE VEGA

Vida

La vida de Félix Lope de Vega Carpio, nacido en Madrid (1562), en el seno de una familia modesta, es tan apretada y turbulenta que no puede resumirse en unas pocas líneas: destacaremos sólo algunos datos que marcan especialmente su carácter y su poesía.

Tras sus estudios en Alcalá y Salamanca, y aparte otros amoríos, mantiene relaciones durante cinco años (1583-1587) con Elena Osorio (*Filis* o *Zaida* en sus versos); cuando ella lo abandona, Lope reacciona con unos poemas difamatorios por los que se le destierra de Madrid. Despechado, se casa, tras raptarla, con Isabel de Urbina (*Belisa*), con la que vivirá en Valencia (hasta 1590) y en Alba de Tormes, donde muere su esposa (1594).

En 1595 puede volver a Madrid. Nuevos pesares: pierde a una hija. Y nuevos amoríos. Y nueva boda, en 1598, sin gran entusiasmo, con Juana de Guardo, de la que tendrá tres hijos. Pero, a la vez, y hasta 1608, mantendrá relaciones con Micaela Luján (*Camila Lucinda*), de la que nacerán otros cinco hijos... La fama de Lope ha ido creciendo. Y de estos años data su enemistad con Góngora.

En 1612 y 1613, a poca distancia, mueren su hijo preferido, Carlos Félix, y su mujer. Lope sufre una fuerte crisis y en 1614, a los 52 años y en la cumbre de su fama, decide ordenarse sacerdote (luego se verá la hondura de su poesía religiosa de esta época). Pero el amor vuelve a tentarle: en 1616 conoce a la joven Marta de Nevares, con la que vivirá muchos años; hacia 1623 se queda ciega, y unos años más tarde pierde la razón; y Lope, ya viejo, está junto a Marta, cuidándola hasta que muere ella en 1632.

Otras tristezas se acumularán en sus últimos años: una de sus hijas se escapa de casa; otro de sus hijos pierde la vida en América. Lope morirá en agosto de 1635: su entierro fue una multitudinaria manifestación de duelo y admiración como jamás se había dado.

Temperamento

Tras los datos precedentes, hay que decir que una personalidad como la de Lope no cabe fácilmente en nuestras cabezas. En su tiempo, con la expresión «Monstruo de Naturaleza» se quiso ponderar la excepcional intensidad de su vivir y su crear: es un auténtico fenómeno en ambos terrenos. Su ímpetu vital es increíble y en él caben las más flagrantes contradicciones: glorias y miserias, pasiones humanas y divinas... Y Lope vivió los dos polos de la contradicción con la misma fuerza. Tan intensa fue su vida que no es concebible cómo escribió una obra tan inmensa...

Obra, estilo

...Y tan inmensa es su obra que es inconcebible cómo vivió con aquella intensidad. Es bien conocida la asombrosa vastedad de su producción teatral: unas 1.500 obras (de las que se conservan unas 350). No hablemos de sus novelas, cortas o largas y de varios géneros. Notable extensión alcanzan sus ambiciosos poemas épicos. Aquí sólo nos corresponde hablar de su poesía lírica, y se trata de incontables versos recogidos en varios volúmenes y a veces mezclados con obras no líricas. Citemos sólo los principales títulos: *Rimas* (1602), *Pastores de Belén* (1612), *Rimas sacras* (1614), *Rimas humanas y divinas de Tomé de Burguillos* (1634)...

No extrañará que Lope cultive todos los temas y todas las formas posibles en su tiempo. Desarrolla paralelamente la corriente petrarquista y la cancioneril, adora la lírica popular y figura a la cabeza —con Góngora— de los poetas que dan un nuevo impulso a los romances (*Romancero nuevo*). Tras el éxito del gongorismo, y pese a la enemistad con don Luis, probó a incorporar algunos rasgos culteranos en sus obras, pero no era ese su camino. Lope siempre se inclinaría, sea por una *sutileza sentenciosa* (y en ese sentido es frecuentemente conceptista), sea por la *naturalidad* en diversos sentidos. Precisamente una de sus aportaciones más personales es la sencillez conversacional de la que veremos muestras. Y en todas esas líneas brillará siempre la maestría de Lope, su increíble facilidad de versificador, compatible con continuos hallazgos verbales.

Por lo demás, si hay que destacar, en la lírica de Lope, algo por encima de todo sería esto: la raíz autobiográfica, el acento personal y auténtico que se percibe en la mejor y mayor parte de sus poemas. Lope transforma continuamente en poesía su vida: experiencias amorosas, zozobras espirituales, sencillos aconteceres familiares... Y ello en proporciones desconocidas hasta entonces. Como sintetizó en un verso Dámaso Alonso, «Lope chorrea vida y vida canta».

Aspectos de su obra poética

En cuatro secciones agrupamos los poemas escogidos (dando tras cada uno los datos que permitan situarlo en la trayectoria de Lope):

a) *Poesía amorosa.* Es, naturalmente, un aspecto esencial de su creación. Aquí se encontrará el eco de sus amores, desde Elena Osorio hasta Marta de Nevares. Ya en ellos se observará ese acento personal, que coexiste con elementos y recursos procedentes de la tradición del amor cortés y del petrarquismo. Absolutamente original y nuevo es, por su parte, el tono que consigue Lope en algunos de los sonetos de sus últimos años **25** y **26.**

b) *Poesías religiosas y morales.* En intenso contraste con la sección anterior están algunos de los poemas que se leerán en ésta, como los sonetos **30-32,** impresionantes testimonios de sus zozobras y sus caídas, de sus desvíos y sus arrepentimientos. Pocas veces la poesía religiosa ha estado cargada de una emotividad tan cálida, tan directa. Y a la vez, ¡qué perfección la de esos sonetos! Antes y después, unos romances serán muestra de una devoción y unas formas de raíces populares **28** y **29,** o de una poesía moral teñida por el desengaño (**33** y **34**).

c) *Poemas de tema vario.* Muchos son, forzosamente, los aspectos de la lírica lopesca que habrán quedado fuera de estas páginas, pero no podría faltar alguna muestra de esa poesía de tema «familiar» y de tono «conversacional» a que hemos aludido antes; véanse, en el **35,** los fragmentos de una *Epístola* singular. Con ese mismo género se emparenta otro poema (**36**) que reúne importantes confesiones sobre su vida y su obra. En fin, por razones que no hará falta explicar, era imposible olvidarse del delicioso «soneto sobre el soneto» (**37**).

d) *Cancioncillas de tipo tradicional.* Ya se ha destacado cómo se nutre Lope de formas populares (de ello daban ya fe algunas composiciones anteriores). Incluimos, por último, unas cuantas «letras para cantar» extraídas de sus comedias. No añadiremos nada a lo que se indica en las notas a los cantarcillos **38-46**: véanse los géneros y formas que aparecen. No podía cerrarse de forma más deliciosa esta breve selección de poemas de Lope...

Significación y fama

La ingente y contradictoria figura de Lope suscitó sentimientos diversos, tanto por razones literarias como ideológicas (aludamos a su identificación con la ideología tradicional, en política o religión). Tuvo en su contra a Cervantes, a Góngora o a los preceptistas clásicos; Quevedo, tras criticarlo, se convirtió en defensor suyo. Pero, por encima de todo, gozó de una inmensa adoración popular, debida sobre todo a su teatro. En cuanto a su lírica, es claro que estaba hecha para alcanzar una acogida cordial, una difusión y un aplauso mucho más amplio que la de otros poetas como Góngora y Quevedo, que tocaban más radicalmente, si se quiere, otras fibras. Hoy, para nosotros, Lope forma con aquéllos la suprema «trinidad» de la poesía del XVII.

POESÍAS AMOROSAS

20

«Mira, Zaide, que te aviso
que no pases por mi calle
ni hables con mis mujeres,
ni con mis cautivos trates,
5 ni preguntes en qué entiendo[1]
ni quien viene a visitarme,
qué fiestas me dan contento
o qué colores me aplacen[2];
basta que son por tu causa
10 las que en el rostro me salen,
corrida[3] de haber mirado
moro que tan poco sabe.
Confieso que eres valiente,
que hiendes, rajas y partes
15 y que has muerto más cristianos
que tienes gotas de sangre;
que eres gallardo jinete,
que danzas, cantas y tañes,
gentil hombre, bien criado
20 cuanto puede imaginarse;
blanco, rubio por extremo,
señalado por linaje
el gallo de las bravatas,
la nata[4] de los donaires,
25 y pierdo mucho en perderte
y gano mucho en amarte,
y que si nacieras mudo
fuera posible adorarte;
y por este inconveniente
30 determino de dejarte,
que eres pródigo de lengua[5]
y amargan tus libertades

[1] De qué me ocupo.

[2] Me agradan.

[3] Avergonzada.

[4] «La flor y nata», el mejor.

[5] Hablas demasiado.

y habrá menester ponerte
quien quisiere sustentarte
un alcázar en el pecho 35
y en los labios un alcaide[6].
Mucho pueden con las damas
los galanes de tus partes[7],
porque los quieren briosos,
que rompan y que desgarren; 40
mas tras esto, Zaide amigo,
si algún convite te hacen,
al plato de sus favores
quieren que comas y calles[8].
Costoso fue el que te hice; 45
venturoso fueras, Zaide,
si conservarme supieras
como supiste obligarme[9].
Apenas fuiste salido
de los jardines de Tarfe[10] 50
cuando hiciste de la tuya
y de mi desdicha alarde.
A un morito mal nacido
me dicen que le enseñaste
la trenza de los cabellos 55
que te puse en el turbante.
No quiero que me la vuelvas
ni quiero que me la guardes,
mas quiero que entiendas, moro,
que en mi desgracia la traes. 60
También me certificaron
cómo le desafiaste
por las verdades que dijo,
que nunca fueran verdades.
De mala gana me río; 65
¡qué donoso[11] disparate!
No guardas tú tu secreto
¿y quieres que otro le guarde?
No quiero admitir disculpa;

[6] El que dirige la guardia y defensa de un alcázar o fortaleza.

[7] Cualidades.

[8] Los *favores* amorosos deben mantenerse en secreto.

[9] Ganar mi voluntad, conquistarme.

[10] Granada.

[11] Gracioso.

70 otra vez vuelvo a avisarte
que ésta será la postrera
que me hables y te hable.»
Dijo la discreta Zaida
a un altivo bencerraje[12]
75 y al despedirle repite:
«Quien tal hace, que tal pague▼».

(*Romancero General,* 1600)

[12] Abencerraje, moro de ilustre linaje.

▼ Las vicisitudes de los amores juveniles de Lope y Elena Osorio (que se desarrollaron entre 1583 y 1587) dieron lugar a diversos romances moriscos y pastoriles. De entre los primeros destaca éste. Lope (Zaide) se pone en el lugar de Elena (Zaida) y desarrolla los reproches que ésta —entre curiosas alabanzas— le dirige por haberse jactado de sus relaciones (cosa, sin duda, verídica). Zaide se defenderá de las acusaciones en otro romance («Di, Zaida, ¿de qué me avisas?»). Con estas y otras composiciones, la aportación de Lope al *Romancero nuevo* es decisiva: nótese la galanura y el alcance personal de esta muestra.

Amores con Elena de Osorio.

21

Suelta mi manso[13], mayoral extraño,
pues otro tienes de tu igual decoro[14],
deja la prenda que en el alma adoro,
perdida por tu bien y por mi daño.

5 Ponle su esquila de labrado estaño,
y no le engañen tus collares de oro[15],
toma en albricias[16] este blanco toro,
que a las primeras hierbas cumple un año.

Si pides señas, tiene el vellocino[17]
10 pardo, encrespado, y los ojuelos tiene
como durmiendo en regalado sueño.

Si piensas que no soy su dueño, Alcino,
suelta, y verásle si a mi choza viene:
que aún tienen sal las manos de su dueño[18]▼.

(*Rimas,* 1602)

[13] Cordero.

[14] Valor.

[15] Alusión a la riqueza del rival.

[16] Regalo a cambio.

[17] Lana.

[18] La sal es complemento necesario del pasto de los corderos. Además, es símbolo del afecto.

▼ Soneto memorable inspirado por el desvío de Elena Osorio, que sustituyó al poeta por un amante rico. En tres sonetos, Lope habla como pastor a quien le han robado su cordero más preciado. Esta composición —la tercera de la serie— es la mejor. Adviértase cómo Lope parece querer engañarse, afirmando que el manso (Elena) aún la ama y estaría dispuesta a volver con él, si la dejaran. No era así. Pero la anécdota ha quedado embellecida, estilizada: muéstrese la delicadeza y la emoción de estos versos.

22

Ir y quedarse, y con quedar partirse,
partir sin alma, e ir con alma ajena,
oír la dulce voz de una sirena
y no poder del árbol desasirse;

arder como la vela y consumirse 5
haciendo torres sobre tierna arena;
caer de un cielo, y ser demonio en pena,
y de serlo jamás arrepentirse;

hablar entre las mudas soledades,
pedir prestada, sobre[19] fe, paciencia, 10
y lo que es temporal llamar eterno;

creer sospechas y negar verdades,
es lo que llaman en el mundo ausencia,
fuego en el alma y en la vida infierno▼.

(*Rimas,* 1602)

[19] Además de.

▼ Con una nueva amante, Micaela Luján o «Camila Lucinda», hay que relacionar este soneto (como los dos siguientes y muchísimos otros poemas). El penúltimo verso nos descubre el tema central: los tormentos del enamorado lejos de su amada. El brillante desarrollo se basa en una acumulación de contradicciones: es el «juego de opósitos», cuyo origen está en los antiguos trovadores provenzales y que ya cultivaron los poetas de los Cancioneros españoles del siglo XV. Petrarca y sus seguidores lo adoptaron. En el siglo XVII adquiere este procedimiento nuevas resonancias (gusto barroco por las contradicciones).

23

Desmayarse, atreverse, estar furioso,
áspero, tierno, liberal[20], esquivo,
alentado[21], mortal, difunto, vivo,
leal, traidor, cobarde y animoso;

5 no hallar fuera del bien centro y reposo,
mostrarse alegre, triste, humilde, altivo,
enojado, valiente, fugitivo,
satisfecho, ofendido, receloso;

huir el rostro al claro desengaño,
10 beber veneno por licor süave,
olvidar el provecho, amar el daño;

creer que un cielo en un infierno cabe,
dar la vida y el alma a un desengaño:
esto es amor: quien lo probó lo sabe ▼.

(*Rimas,* 1602)

[20] Generoso.

[21] Que respira o que goza de salud.

▼ Compárese este soneto, por su contenido y por su técnica, con el anterior.

24

Quiero escribir, y el llanto no me deja;
pruebo a llorar, y no descanso tanto;
vuelvo a tomar la pluma, y vuelve el llanto:
todo me impide el bien, todo me aqueja.

Si el llanto dura, el alma se me queja; 5
si el escribir, mis ojos[22], y si en tanto
por muerte, o por consuelo, me levanto,
de entrambos[23] la esperanza se me aleja.

Ve[24] blanco, al fin, papel, y a quien penetra
el centro desde pecho que me enciende 10
le di[25] (si en tanto bien pudieres verte)

que haga de mis lágrimas la letra,
pues ya que no lo siente, bien entiende:
que cuando escribo y lloro todo es muerte▼.

(*Rimas,* 1602)

[22] «Si dura el escribir, se quejan mis ojos».

[23] Ambos (es decir, el alma y los ojos).

[24] Imperativo del verbo *ir.*

[25] Dile (cfr. *infra*).

▼ También este soneto se sitúa en la tradición provenzal y petrarquista: la impiedad de la amada, el llanto y la «muerte» del enamorado. Lope, ese gran creador, no vacila en «literaturizar» sus experiencias. Aclaración del primer terceto: «Ve, papel, al fin blanco, y dile (a mi amada) que...»

25

DESEA AFRATELARSE[26], Y NO LE ADMITEN

Muérome por llamar Juanilla[27] a Juana,
que son de tierno amor afectos vivos,
y la cruel, con ojos fugitivos,
hace papel de yegua galiciana[28].

5 Pues Juana, agora[29] que eres flor temprana
admite los requiebros primitivos,
porque no vienen bien diminutivos
después que una persona se avellana[30].

Para advertir tu condición extraña,
10 más de alguna Juanaza[31] de la villa
del engaño en que estás te desengaña.

Créeme, Juana, y llámate Juanilla;
mira que la mejor parte de España
pudiendo Casta se llamó Castilla▼.

(*Rimas humanas y divinas de Tomé de Burguillos,* 1634)

[26] Hermanarse, juntarse, intimar.

[27] El diminutivo, señal de trato íntimo.

[28] Es esquiva, como una mula díscola.

[29] Ahora.

[30] Arrugarse, envejecer (cfr. *infra*).

[31] El aumentativo alude a mujeres que ya no son jóvenes (cfr. *infra*).

▼ Dando un gran salto, incluimos a continuación unas muestras del último ciclo poético de Lope. Con el seudónimo de Burguillos, canta a una supuesta Juana, humilde lavandera. El tono dominante —no el único, como veremos — contrasta fuertemente con el que se apreciaba en los sonetos anteriores: su voz es ahora coloquial, desenvuelta, deliciosamente paródica, originalísima. Véase el curioso tratamiento del tema del *Carpe Díem* (compárese en Góngora, **9**): en los versos 7-8, advierte a Juana que, cuando envejezca, ya no será tiempo de requiebros e intimidades; y si otra cosa cree, debe desengañarse —como dice en los versos 9-11— viendo lo que les pasa a las mujeres que han perdido su lozanía (las «Juanazas»). Explíquese, en fin, el intencionado juego de palabras del verso 14.

26

CÁNSASE EL POETA DE LA DILACIÓN DE SU ESPERANZA

¡Tanto «mañana», y nunca ser mañana!
Amor se ha vuelto cuervo, o se me antoja[32].
¿En qué región el sol su carro aloja
desta imposible aurora tramontana[33]?

Sígueme inútil la esperanza vana, 5
como nave zorrera[34] o mula coja;
porque no me tratara Barbarroja[35]
de la manera que me tratas, Juana.

Juntos Amor y yo buscando vamos,
esta mañana. ¡Oh dulces desvaríos! 10
Siempre «mañana», y nunca mañanamos[36].

Pues si vencer no puedo tus desvíos,
sáquente cuervos destos verdes ramos
los ojos. Pero no, ¡que son los míos▼!

(*Rimas humanas y divinas...,* 1634)

32 El «mañana, mañana» de la amada se compara con el graznido del cuervo: «Cras, cras» (*cras* es «mañana» en latín).

33 Del otro lado de los montes.

34 Nave pesada y lenta.

35 Temible pirata.

36 Nunca llegamos a ese mañana (palabra creada por Lope).

▼ En este espléndido soneto, se queja el poeta de que la mujer retrase de un día para otro la realización de sus deseos. Nótese la asombrosa originalidad con que conviven varios tonos, desde el coloquial (por ejemplo, en el segundo cuarteto) al más elevado y audazmente creador (especialmente, el primer terceto). Para la comprensión de los versos 3-4, se recordará que Apolo, el Sol, recorría el cielo con su carro; ahora —dice Lope— no se sabe dónde está escondido el sol, pues la aurora (la esperanza para su amor) parece imposible, como si estuviera más allá de los montes.

27

QUE AL AMOR VERDADERO NO LE OLVIDAN EL TIEMPO NI LA MUERTE. ESCRIBE EN SESO[37]

Resuelta[38] en polvo ya, mas siempre hermosa,
sin dejarme vivir, vive serena
aquella luz, que fue mi gloria y pena,
y me hace guerra, cuando en paz reposa.

5 Tan vivo está el jazmín, la pura rosa,
que, blandamente ardiendo en azucena,
me abrasa el alma de memorias llena:
ceniza de su fénix[39] amorosa.

¡Oh memoria[40] cruel de mis enojos!,
10 ¿qué honor te puede dar mi sentimiento,
en polvo convertidos sus despojos[41]?

Permíteme callar sólo un momento:
que ya no tienen lágrimas mis ojos,
ni conceptos de amor mi pensamiento[42]▼.

(*Rimas humanas y divinas...*, 1634)

[37] En serio.

[38] Convertida.

[39] Ave mítica que moría abrasada y renacía de sus cenizas. Pero recuérdese también que Lope fue llamado *Fénix de los Ingenios*.

[40] Recuerdo.

[41] Restos mortales.

[42] Ya no encuentra palabras para encarecer su amor.

▼ Entre los poemas de Burguillos, los hay también escritos en serio («en seso»), como éste, en que evoca emocionadamente a Marta de Nevares (muerta en 1632). Por su tema, debe compararse al famoso soneto de Quevedo (**64**). Con la gravedad del tono, reaparecen elementos de la tradición trovadoresca y petrarquista: amada = «luz»; amor = «fuego»; empleo de contradicciones, etc. Pero domina la expresión humanísima y las referencias directas a la experiencia (por ejemplo, en el segundo cuarteto nos dice cómo las flores de la primavera —Marta murió en abril»— le recuerdan a su amada y le hacen sentir el fuego de su amor).

POESÍAS RELIGIOSAS Y MORALES

28

Las pajas del pesebre,
niño de Belén,
hoy son flores y rosas,
mañana serán hiel.
Lloráis entre las pajas 5
de frío que tenéis,
hermoso niño mío,
y de calor también.
Dormid, cordero santo;
mi vida, no lloréis, 10
que si os escucha el lobo,
vendrá por vos, mi bien.
Dormid entre las pajas,
que aunque frías las veis,
hoy son flores y rosas, 15
mañana serán hiel.
Las que para abrigaros
tan blandas hoy se ven
serán mañana espinas
en corona cruel. 20
Mas no quiero deciros,
aunque vos lo sabéis,
palabras de pesar
en días de placer.
Que aunque tan grandes deudas[43] 25
en pajas las cobréis,
hoy son flores y rosas,
mañana serán hiel.
Dejad el tierno llanto,
divino Emanuel, 30
que perlas[44] entre pajas
se pierden sin por qué.

[43] Las culpas de la humanidad, que Cristo viene a redimir.

[44] Lágrimas.

No piense vuestra madre
que ya Jerusalén
35 previene sus dolores[45],
y llore con José.
Que aunque pajas no sean
corona para Rey,
hoy son flores y rosas,
40 *mañana serán hiel.*

(*Pastores de Belén,* 1612)

[45] Prevé (Jerusalén parece adivinar lo que la Virgen sufrirá en la Pasión).

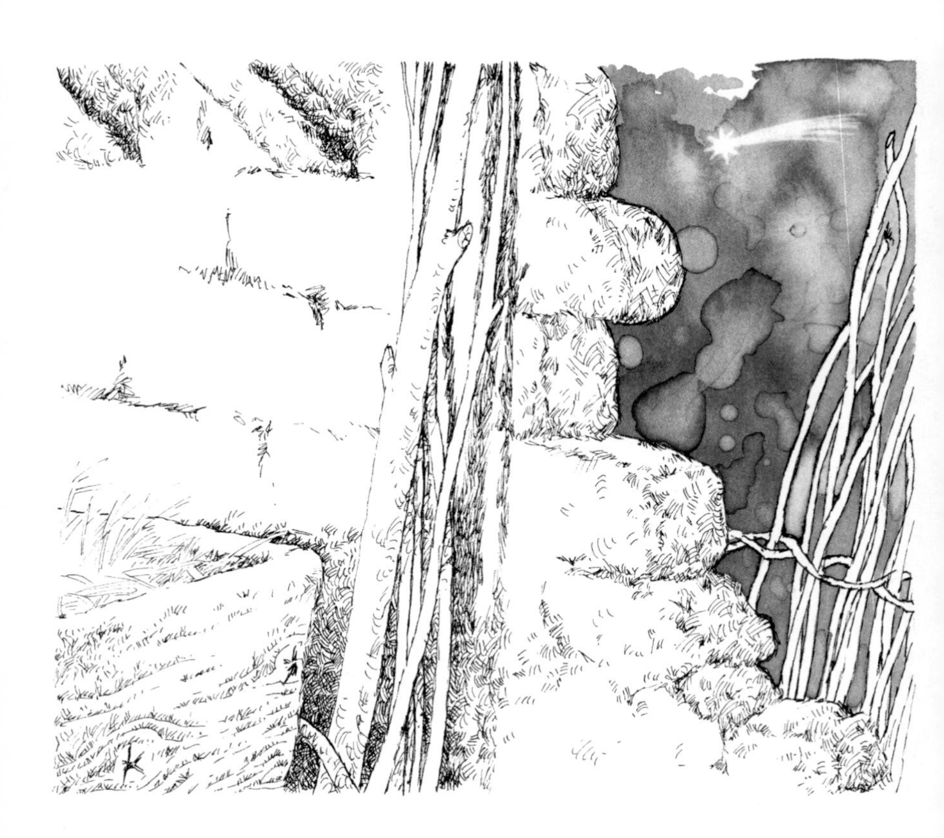

COMENTARIO 2 (Poema 28, vv. 1 a 16)

► *Como se verá por otros textos que recogeremos, Lope sentía una predilección especial por la poesía popular. Sitúese este texto de acuerdo con ello.*

NOTA.—Compárese este poema con el 12 de Góngora, que tomó el estribillo de una cancioncilla tradicional. Lope lo modifica, dándole otro sentido (¿Qué es un «villancico a lo divino»?).

► *¿En boca de quién se ponen estos versos?*

► *Enúnciese el tema del texto (dos elementos destacan).*

► *Estructura métrica del poema (en Góngora hemos visto algún caso semejante; y en esta antología se verá alguna otra muestra parecida de Lope).*

► *¿Cómo se desarrolla el tema en estos 16 versos? (estructura interna).*

► *¿Qué «figura» hay en los versos 3-4? ¿Por qué «serán hiel» las pajas del pesebre?*

► *En los versos 5-8 se dice que el Niño llora, a la vez, «de frío» y «de calor». ¿Qué sentido simbólico tiene ese «calor»?*

► *¿En qué expresiones se aprecia la emoción y la ternura de la persona que habla al Niño? ¿Por qué se escoge el nombre «cordero»?*

► *¿Por qué se habla del «lobo»?*

► *Los cuatro últimos versos del fragmento (13-16) sintetizan los dos aspectos centrales del texto: muéstrese.*

► *En conclusión, señálese el valor emotivo del texto (¿qué sentimientos prevalecen?) y júzguese su calidad dentro del tipo de poesía en que se sitúa.*

29

Pues andáis en las palmas[46],
Ángeles santos,
que se duerme mi niño,
tened los ramos[47].
5 Palmas de Belén
que mueven airados
los furiosos vientos
que suenan tanto:
no le hagáis ruido,
10 corred más paso[48]
que se duerme mi niño,
tened los ramos.
El niño divino,
que está cansado
15 de llorar en la tierra
por su descanso[49],
sosegar[50] quiere un poco
del tierno llanto,
que se duerme mi niño,
20 *tened los ramos.*
Rigurosos hielos
le están cercando,
ya veis que no tengo
con qué guardarlo:
25 Ángeles divinos,
que vais volando,
que se duerme mi niño,
tened los ramos▼.

(*Pastores de Belén,* 1612)

[46] Las palmeras (los ángeles vuelan sobre ellas).

[47] Sujetad las ramas (para que no hagan ruido).

[48] Más despacio, en silencio.

[49] Para descanso (o redención) de la tierra.

[50] Descansar.

▼ Este otro villancico es una parte de un romance que empieza: «La niña a quien dijo el Ángel / que estaba de gracia llena». Esta niña es la Virgen y en sus labios pone el poeta estos deliciosos versos, que se comentarán teniendo en cuenta todo lo observado a propósito del villancico anterior. ¿Cuál es ahora la forma métrica de la estrofa inicial y del estribillo?

30

[51] Silbidos.

[52] El sueño del pecado.

[53] La cruz, que se hace cayado (para guiar al rebaño).

Pastor que con tus silbos[51] amorosos
me despertaste del profundo sueño[52],
Tú, que hiciste cayado de este leño[53],
en que tiendes los brazos poderosos,

vuelve los ojos a mi fe piadosos, 5
pues te confieso por mi amor y dueño,
y la palabra de seguirte empeño
tus dulces silbos y tus pies hermosos.

[54] Pecadores, rendidos ante el pecado.

[55] Inquietudes, angustias.

[56] Con los pies clavados.

Oye, pastor, pues por amores mueres,
no te espante el rigor de mis pecados, 10
pues tan amigo de rendidos[54] eres.

Espera, pues, y escucha mis cuidados[55];
¿pero cómo te digo que me esperes,
si estás para esperar los pies clavados[56]▼?

(*Rimas sacras,* 1614)

▼ Tras su honda crisis y su ingreso en el sacerdocio (1614), Lope publica sus *Rimas sacras,* impresionante libro del que extraemos dos sonetos. En éste, el tema pastoril —usado otras veces con sentido amoroso— adquiere una significación religiosa cargada de sincerísima emoción. Valórese. (Se habrán observado los dos hipérbatos del segundo cuarteto: «vuelve los ojos piadosos...» y «empeño la palabra de seguirte, de seguir tus silbos y tus huellas»).

31

¿Qué tengo yo, que mi amistad procuras?
¿Qué interés se te sigue, Jesús mío,
que a mi puerta cubierto de rocío
pasas las noches del invierno escuras?

5 ¡Oh cuánto fueron mis entrañas duras[57],
pues no te abrí! ¡Qué extraño desvarío,
si de mi ingratitud el hielo frío[58]
secó las llagas de tus plantas puras!

¡Cuántas veces el Ángel me decía:
10 «Alma, asómate agora a la ventana,
verás con cuánto amor llamar porfía»!

¡Y cuántas, hermosura soberana,
«Mañana le abriremos», respondía,
para lo mismo responder mañana▼!

(*Rimas sacras,* 1614)

[57] ¡Qué duras fueron mis entrañas...!

[58] El hielo frío de mi ingratitud.

▼ Poemas como éste justifican que Lope haya sido considerado como el más grande poeta religioso de su tiempo. Nótese la fuerte carga emocional (interrogaciones, exclamaciones...), junto a la perfección de la estructura (un ejemplo: ¿por qué nos impresionan los dos versos finales?).

32

TEMORES EN EL FAVOR

Cuando en mis manos, rey eterno, os miro,
y la cándida[59] víctima levanto,
de mi atrevida indignidad me espanto
y la piedad de vuestro pecho admiro.

Tal vez el alma con temor retiro, 5
tal vez[60] la doy al amoroso llanto;
que arrepentido de ofenderos tanto
con ansias temo y con dolor suspiro.

Volved los ojos a mirarme humanos
que por las sendas de mi error siniestras 10
me despeñaron pensamientos vanos;

no sean tantas las miserias nuestras
que a quien os tuvo en sus indignas manos
vos le dejéis de las divinas vuestras▼.

(*Triunfos divinos,* 1625)

[59] Blanca e inocente víctima (la hostia consagrada).

[60] Unas veces..., otras veces...

▼ Tres años después de su ordenación sacerdotal, Lope conoce a Marta de Nevares. De lo irregular de su situación surgió, sin duda, un soneto como éste, intensa expresión de su desgarramiento íntimo, en el momento de alzar la hostia en la consagración.

33

A mis soledades voy,
de mis soledades vengo,
porque para andar conmigo
me bastan mis pensamientos▼.

5 No sé qué tiene la aldea
donde vivo, y donde muero,
que con venir de mí mismo,
no puedo venir más lejos.

Ni estoy bien ni mal conmigo;
10 mas dice mi entendimiento
que un hombre que todo es alma
está cautivo en su cuerpo.

Entiendo lo que me basta,
y solamente no entiendo
15 cómo se sufre a sí mismo
un ignorante soberbio. [...]

«Sólo sé que no sé nada»,
dijo un filósofo, haciendo
la cuenta con su humildad,
20 adonde lo más es menos[61].

No me precio de entendido,
de desdichado me precio;
que los que no son dichosos,
¿cómo pueden ser discretos? [...]

[61] El humilde rebaja sus cualidades.

▼ De este famoso y largo romance entresacamos unas cuartetas (algo menos de la mitad). Como se verá, en ellas desgrana Lope diversas meditaciones morales. Y el hilo conductor es el tema de la soledad o de la «vida retirada» (recuérdese a fray Luis de León y a su modelo latino, Horacio). Hay aquí una visión negativa del mundo: piénsese en el Lope viejo y desengañado que compone estos versos. ¿Qué virtudes ensalza y qué defectos critica?

Dijeron que antiguamente 25
se fue la verdad al cielo:
tal la pusieron los hombres,
que desde entonces no ha vuelto. [...]

Virtud y filosofía
peregrinan como ciegos; 30
el uno se lleva al otro,
llorando van y pidiendo. [...]

Fea pintan a la envidia;
yo confieso que la tengo
de unos hombres que no saben 35
quién vive pared en medio[62]. [...]

Sin ser pobres ni ser ricos,
tienen chimenea y huerto;
no los despiertan cuidados,
ni pretensiones ni pleitos, 40

ni murmuraron del grande,
ni ofendieron al pequeño;
nunca, como yo, firmaron
parabién, ni Pascuas dieron[63].

Con esta envidia que digo, 45
y lo que paso en silencio,
a mis soledades voy,
de mis soledades vengo.

(En *La Dorotea,* 1632)

[62] Que no tienen vecinos, que viven apartados.

[63] No escriben ni para dar la enhorabuena ni para felicitar las Pascuas.

34

Pobre barquilla mía,
entre peñascos rota,
sin velas desvelada,
y entre las olas sola▼;

5 ¿adónde vas perdida?
¿adónde, di, te engolfas[64]?
que no hay deseos cuerdos
con esperanzas locas.

Como las altas naves,
10 te apartas animosa
de la vecina tierra,
y al fiero mar te arrojas. [...]

Cuando por las riberas
andabas costa a costa,
15 nunca del mar temiste
las iras procelosas[65].

Segura navegabas;
que por la tierra propia
nunca el peligro es mucho
20 adonde el agua es poca.

[64] Engolfarse es aquí «ir mar adentro».

[65] Tormentosas.

▼ Romance perteneciente a la misma época y obra que el anterior, y del que —por idénticas razones de espacio— reproducimos sólo parte (44 versos sobre 128). El navegar de la «barquilla» es un símbolo tradicional del vivir. Y el aventurarse en «alta mar» alude a ambiciones que se censuran, con los peligros que conllevan. Frente a ello, se recomienda la vida en horizontes «familiares» («la tierra propia»), aunque Lope —desengañado— reconoce que siempre se desprecia lo conocido (versos 21-24). Compárese con el poema anterior y, junto al alcance moral, adviértase el amargo desengaño que encierran estos versos (y en especial los últimos) a la luz de lo que sabemos del autor.

Verdad es que, en la patria,
no es la virtud dichosa,
ni se estimó la perla
hasta dejar la concha.

Dirás que muchas barcas 25
con el favor en popa,
saliendo desdichadas,
volvieron venturosas.

No mires los ejemplos
de las que van y tornan; 30
que a muchas ha perdido
la dicha de las otras. [...]

Pasaron ya los tiempos,
cuando lamiendo rosas
el céfiro bullía 35
y suspiraba aromas.

Ya fieros huracanes
tan arrogantes soplan,
que, salpicando estrellas,
del sol la frente mojan. [...] 40

Mas, ¡ay que no me escuchas [66]!
Pero la vida es corta:
viviendo, todo falta;
muriendo, todo sobra.

(En *La Dorotea,* 1632)

[66] Se sigue dirigiendo a la barquilla.

POEMAS DE TEMA VARIO

35

EPÍSTOLA AL DOCTOR MATÍAS DE PORRAS▾

(*Fragmentos*)

[...] Ya, en efecto, pasaron las fortunas[67]
de tanto mar de amor, y vi mi estado
tan libre de sus iras importunas,

cuando amorosa amaneció a mi lado
5 la honesta cara de mi dulce esposa[68],
sin tener de la puerta algún cuidado;

cuando Carlillos[69], de azucena y rosa
vestido el rostro, el alma me traía,
contando por donaire alguna cosa.

10 Con este sol y aurora[70] me vestía,
retozaba el muchacho, como en prado
cordero tierno al prólogo del día.

Cualquiera desatino mal formado
de aquella media lengua era sentencia,
15 y el niño a besos de los dos traslado. [...]

[67] Tempestades.

[68] Su segunda esposa, Juana de Guardo.

[69] Carlos Félix, hijo predilecto de Lope, muerto a los siete años (1612).

[70] Su mujer y su hijo.

▾ La asombrosa fecundidad de Lope se manifiesta también en una serie de largas cartas en verso, como ésta, de más de 300 versos. Los tercetos que seleccionamos son una muestra importante, ante todo, por el testimonio de vida familiar, de cotidianeidad, con toda su hondura emotiva (ternura de padre, dolor por la muerte de sus seres queridos...); como se ve, Lope lo transforma todo en poesía. Pero, por otra parte, hay que destacar con fuerza la novedad de tono que estos versos —y otros del mismo tipo— suponen: en ellos ensaya Lope un «estilo doméstico» (son palabras suyas en esta epístola), es decir, un estilo familiar, conversacional, en consonancia con el contenido y el género (epístolas familiares). Compárese este tono con el de ciertos sonetos de «Burguillos» (núms. **25** y **26** de esta antología).

Y contento de ver tales mañanas,
después de tantas noches tan oscuras,
lloré tal vez mis esperanzas vanas;

y teniendo las horas más seguras,
no de la vida, mas de haber llegado 20
a estado de lograr tales venturas,

íbame desde allí con el cuidado
de alguna línea más, donde escribía,
después de haber los libros consultado[71].

Llamábanme a comer; tal vez decía 25
que me dejasen, con algún despecho:
así el estudio vence, así porfía.

Pero de flores y de perlas hecho,
entraba Carlos a llamarme, y daba
luz a mis ojos, brazos a mi pecho. 30

Tal vez que de la mano me llevaba,
me tiraba del alma, y a la mesa,
al lado de su madre, me sentaba. [...]

Pero en aqueste bien (¡ay Dios, cuán loco
debe de ser quien tiene confianza, 35
por quien a justo llanto me provoco,

en bienes tan sujetos a mudanza!)
me quitó de las manos muerte fiera
el descanso, el remedio y la esperanza. [...]

(En *La Circe,* 1624)

[71] Es decir, que Lope se pasaba la mañana escribiendo.

36

ÉGLOGA A CLAUDIO

(Fragmentos)▼

[...] Voy por la senda del morir más clara
y de toda esperanza me retiro;
que sólo atiendo y miro
adonde todo para,
5 pues nunca he visto que después viviese
quien no murió primero que muriese.
Todo lo juzgo sombras, todo viento,
todo opinión y fuerza poderosa;
la novedad gustosa
10 no quiere entendimiento;
que en lo que viene a ser arbitrio el gusto,
no hay cosa más injusta que lo justo[72]. [...]

Ya no me quejo de mi dura suerte,
ni pido más lugar a mi ignorancia
15 que la breve distancia
de mi vida a mi muerte;
que el premio, aunque es forzoso desealle,
más vale merecelle que alcanzalle.

[72] Donde domina el gusto (el placer), lo justo es injusto (paradoja de sentido moral).

▼ Larguísimo poema (546 versos) compuesto en su vejez. Pese al título («égloga»), es una «epístola» a un amigo, aunque de un tono más elevado que el de la anterior. En los fragmentos que reproducimos, destacaremos dos cosas: a) el tono elegíaco del principio y del final: Lope afronta el final de su vida con un patetismo en el que se mezclan estoicismo, ascetismo y desengaño; b) las referencias a su propia obra, objeto de muchísimos más versos de este poema; confróntese lo que aquí dice con los datos que se posean sobre su vida y su trayectoria poética (véanse las dos notas siguientes).

Si no me embarazara[73] el libre cuello
de la necesidad el fiero yugo[74] 20
por lo que al cielo plugo,
yo viera en mi cabello
algún honor; que a la virtud se debe
que diera verde lustre a tanta nieve.
Del vulgo vil solicité la risa, 25
siempre ocupado en fábulas de amores[75];
así grandes pintores
manchan la tabla aprisa;
que quien el buen jüicio deja aparte
paga el estudio como entiende el arte▼. [...] 30

Lloré las *Rimas* del amor humano,
canté las *Rimas* del amor divino,
compuse el *Peregrino,*
y en néctar soberano
bañado, disfracé con anagrama[76] 35
los *Soliloquios* de mi ardiente llama.
Así pude volver con otras cuerdas
las pajas de *Belén* en líneas de oro,
y del arco sonoro
bañé las juntas cerdas[77] 40
en lágrimas de mirra[78], y sus *Pastores*
entre la nieve coroné de flores. [...]

[73] Estorbara.

[74] El yugo de las necesidades económicas.

[75] Comedias y otras obras amatorias.

[76] Con seudónimo (los *Soliloquios,* 1212, son testimonio de su crisis religiosa).

[77] Hebras de crin del arco de un instrumento de cuerda.

[78] La mirra es amarga.

▼ Lope alude en los versos anteriores a las necesidades económicas que le llevaron a escribir obras de éxito para el «vulgo»; afirma que, si no hubiera sido así, podría haber escrito obras más «importantes» que le habrían proporcionado más gloria («... yo viera en mi cabello / algún honor»). ¿Cómo podía Lope pensar así? ¿Será sincero? Discútase, comparando con lo que sigue diciendo (Véase la nota siguiente).

En varias *Rimas* lágrimas inmensas
mostraron, con dolor de tanto olvido,
inmenso el ofendido 45
e inmensas las ofensas;
canté mis yerros y lloré cantando,
que es volver a Sión[79] cantar llorando. [...]

Pero si agora el número infinito
de las *Fábulas cómicas*[80] intento, 50
dirás que es fingimiento
tanto papel escrito,
tantas imitaciones, tantas flores
vestidas de retóricos colores.
Mil y quinientas fábulas admira, 55
que la mayor el número parece;
verdad que desmerece
por parecer mentira,
pues más de ciento, en horas veinticuatro,
pasaron de las musas al teatro▼. [...] 60

El mundo ha sido siempre de una suerte[81];
ni mejora de seso ni de estado;
quien mira lo pasado
lo por venir advierte.
Fuera esperanzas, si he tenido alguna; 65
que ya no he menester a la fortuna.

(¿1631?)

[79] Jerusalén; por extensión, reino de Dios, de la gracia.

[80] Se refiere ahora a sus numerosas comedias.

[81] Ha sido siempre igual.

▼ En los versos 32-48, Lope habla preferentemente de su obra religiosa (relaciónese con lo dicho sobre los poemas de esta línea). Luego, en los vv. 49-60, se refiere a su ingente producción teatral (¡1.500 comedias!); los versos 59-60 han sido citadísimos (en veinticuatro horas compuso muchas de sus comedias...) ¿Se excusa o se enorgullece? (Piénsese que Lope, junto a su inmensa fama, se había visto atacado o menospreciado por ciertos preceptistas académicos.)

37

SONETO DE REPENTE▼

Un soneto me manda hacer Violante[82],
que en mi vida me he visto en tanto aprieto;
catorce versos dicen que es soneto:
burla burlando van los tres delante.

5 Yo pensé que no hallara consonante[83]
y estoy a la mitad de otro cuarteto,
mas si me veo en el primer terceto,
no hay cosa en los cuartetos que me espante.

Por el primer terceto voy entrando,
10 y parece que entré con pie derecho,
pues fin con este verso le voy dando.

Ya estoy en el segundo, y aun sospecho
que voy los trece versos acabando;
contad si son catorce, y está hecho.

(En *La niña de plata,* 1610-1612)

[82] Personaje de la comedia en la que figura este soneto.

[83] Rima consonante.

▼ Composición justamente famosa en que se expone, de modo juguetón, lo que es un soneto. Hay que aclarar que pertenece a una comedia y que, en el teatro de la época, se usaba el soneto para los monólogos. Pues bien, en un momento de *La niña de plata,* Violante deja a un personaje solo en escena, diciéndole que bien puede hacer un soneto. Y así surge esta pieza clásica.

CANCIONCILLAS DE TIPO TRADICIONAL▼

38

Blanca me era yo
cuando entré en la siega;
diome el sol y ya soy morena.

Blanca solía yo ser
antes que a segar viniese, 5
mas no quiso el sol que fuese
blanco el fuego[84] en mi poder.
Mi edad al amanecer
era lustrosa azucena;
diome el sol y ya soy morena▼▼. 10

[84] El fuego con que esta niña blanca enciende los corazones.

▼ Sabido es el fervor con que Lope se inspiró en la lírica popular y la imitó; aquí se hallarán unas pocas muestras sacadas de las «escenas musicales» de sus comedias. Es importante señalar que no siempre resulta fácil decir qué versos ha tomado Lope del pueblo y cuáles son producto de su pluma. Recuérdense los principales tipos de cancioncillas tradicionales, desde la Edad Media (canciones de trabajo, de fiestas, de amor, etc.), y véase cuáles están representadas en las que seleccionamos. Estúdiense asimismo las formas métricas.

▼▼ Los cantares de siega (como éste y el siguiente) son una modalidad de «canto de trabajo». Obsérvese la alternancia de *estribillo* (cantado a coro) y *glosa* (cantado por un solista): es la forma de cantar más típica de Castilla y se verá en otras muestras que incluimos. Valórese la delicadeza del lirismo.

39

Ésta sí que es siega de vida;
ésta sí que es siega de flor.

Hoy, segadores de España,
vení[85] a ver a la Moraña[86]
5 trigo blanco y sin argaña[87]
que de verlo es bendición.
Ésta sí que es siega de vida,
ésta sí que es siega de flor.

Labradores de Castilla,
10 vení a ver a maravilla
trigo blanco y sin neguilla[88],
que de verlo es bendición.
Ésta sí que es siega de vida,
ésta sí que es siega de flor.

[85] Venid.

[86] Comarca de Ávila.

[87] «Argaya», paja de trigo.

[88] Planta que se mezcla con otras en los sembrados.

40

Deja las avellanicas, moro,
que yo me las vareeré.
Tres y cuatro en un pimpollo[89]*,*
que yo me las vareeré.

5 Al agua de Dinadámar[90],
que yo me las vareeré,
allí estaba una cristiana;
que yo me las vareeré,
cogiendo estaba avellanas;
10 *que yo me las vareeré.*
El moro llegó a ayudarla,
que yo me las vareeré,
y respondióle enojada:
que yo me las vareeré.

[89] Rama tierna.

[90] Fuente granadina, lugar de encuentros amorosos.

Deja las avellanicas, moro, 15
que yo me las vareare.

Tres y cuatro en un pimpollo,
que yo me las vareare.
Era el árbol tan famoso,
que yo me las vareare, 20
que las ramas eran de oro,
que yo me las vareare,
de plata tenía el tronco,
que yo me las vareare;
hojas que le cubren todo, 25
que yo me las vareare,
eran de rubíes rojos;
que yo me las vareare.
Puso el moro en él los ojos,
que yo me las vareare, 30
quisiera gozarle solo;
que yo me las vareare.
Mas díjole con enojo:
que yo me las vareare.

Deja las avellanicas, moro, 35
que yo me las vareare.
Tres y cuatro en un pimpollo,
que yo me las vareare▼.

▼ Otro canto de trabajo, que acompaña a la faena de «varear» o recoger la aceituna golpeando las ramas con una vara. El poema parte de un estribillo muy antiguo y se desarrolla según otra modalidad del canto: alternancia de la voz del solista (versos en letra redonda) y del coro (versos en cursiva). El encuentro entre el moro y la cristiana queda enmarcado en el misterio: ¿qué es ese árbol de ramas de oro, tronco de plata y hojas de rubíes?

41

En las mañanicas
del mes de mayo
cantan los ruiseñores,
retumba el campo.

5 En las mañanicas,
como son frescas,
cubren ruiseñores
las alamedas.
Ríense las fuentes
10 tirando perlas
a las florecillas
que están más cerca.
Vístense las plantas
de varias sedas
15 que sacar colores
poco les cuesta.
Los campos alegran
tapetes varios,
cantan los ruiseñores
20 *retumba el campo*▼.

▼ Es una «maya», canto de las fiestas que saludan la llegada de mayo. Pero, en este caso, se percibe de modo muy claro la estilización culta que realiza Lope: nótense imágenes como *perlas* o *sedas*.

42

Trébole[91]*, ¡ay Jesús, cómo huele!*
Trébole, ¡ay Jesús, qué olor!

Trébole de la casada
que a su esposo quiere bien;
de la doncella también 5
entre paredes guardada,
que fácilmente engañada
sigue su primer amor.

Trébole, ¡ay Jesús, cómo huele!
Trébole, ¡ay Jesús, qué olor! 10

Trébole de la soltera
que tantos amores muda;
trébole de la viuda
que otra vez casarse espera,
tocas blancas[92] por defuera 15
y faldellín[93] de color.

Trébole, ¡ay Jesús, cómo huele!
Trébole, ¡ay Jesús, qué olor▼*!*

[91] Trébol.

[92] Señal de luto.

[93] Enaguas o falda interior.

▼ Las canciones de «trébole» (o de «verbena», como la siguiente) van asociadas a las fiestas del solsticio o entrada del verano, de remotas raíces. Mozos y mozas salen al campo, en la noche de San Juan y en otras, a coger flores y hierbas aromáticas. Y en sus canciones se encierra una invitación al amor y a gozar de la vida. Pero a veces la alegría se empaña, como en el poema **43** (compárese con el **7** de Góngora).

43

Ya no cogeré verbena[94]
la mañana de San Juan,
pues mis amores se van.

Ya no cogeré verbena,
que era la hierba amorosa, 5
ni con la encarnada rosa
pondré la blanca azucena.
Prados de tristeza y pena
sus espinos me darán,
pues mis amores se van. 10

Ya no cogeré verbena
la mañana de San Juan,
pues mis amores se van.

94 Hierba aromática y medicinal que se recogía en ciertas fiestas asociadas al amor.

44

Salteóme la serrana
junto al pie de la cabaña.

La serrana de la Vera[95],
ojigarza[96], rubia y blanca,
que un robre a brazos arranca, 5
tan hermosa como fiera,
viniendo de Talavera
me salteó en la montaña,
junto al pie de la cabaña.

Yendo desapercibido; 10
me dijo desde un otero:
«Dios os guarde, caballero».
Yo dije: «Bien seáis venido».
Luchando a brazo partido,
rendíme a su fuerza extraña 15
junto al pie de la cabaña▼.

[95] Comarca de Cáceres.

[96] De ojos azules.

▼ Las «cantigas de serrana» —que hablan del encuentro entre un viajero y una pastora— son de vieja tradición. Ya el Arcipreste de Hita (s. XIV) las imitó, exagerando lo rústico y lo forzudo de las serranas. En cambio, el marqués de Santillana (s. XV), idealiza a sus «serranillas», presentándolas como muchachas deliciosas. Lope, en fin, se inspira en una famosa leyenda de una serrana salteadora para componer su comedia *La serrana de la Vera,* a la que pertenece este cantarcillo. ¿Cómo aparece aquí la figura de la serrana?

45

Río de Sevilla,
¡quien te pasase
sin que la mi servilla[97]
se me mojase!
5 Salí de Sevilla
a buscar mi dueño,
puse al pie pequeño
dorada servilla.
Como estoy a la orilla
10 mi amor mirando,
digo suspirando:
¡quién te pasase
sin que la mi servilla
se me mojase▼!

[97] Zapatilla.

46

Si os partiéredes[98] al alba,
quedito, pasito[99], amor,
no espantéis al ruiseñor.

Si os levantáis de mañana
5 de los brazos que os desean,
porque en los brazos no os vean
de alguna envidia liviana[100],
pisad con planta de lana,
quedito, pasito, amor,
10 *no espantéis al ruiseñor*▼▼.

[98] Partierais, marcharais.

[99] ¡Silencio, cuidado!

[100] Para no verte sometido a envidias fáciles.

▼ Véase la gracia con que Lope imita las seguidillas sevillanas. En otra comedia incluyó ésta, aún más famosa: «Río de Sevilla, / ¡cuán bien pareces / con galeras blancas / y ramos verdes!»

▼▼ Las «albadas» o «alboradas» son cantares que celebran una cita al amanecer («Al alba venid, buen amigo...») o lamentan la separación de los enamorados tras el encuentro nocturno. Es insuperable la delicadeza, la perfección de esta versión de Lope.

Más joven que Góngora. Quevedo pertenecía a una familia importante y noble. Se dedicó también a la política

QUEVEDO

Leer y estudiar.

Libro de texto.

Vida y personalidad

Francisco de Quevedo y Villegas nació en Madrid en 1580. Su infancia transcurrió en el mismo Palacio Real, donde sus padres ocupaban altos puestos. Estudió en Alcalá y Valladolid y pronto destacó tanto por su gran cultura como por su obra literaria. Tuvo ambiciones políticas que le acarrearon no pocos sinsabores. Así, de 1613 a 1620 estuvo en Italia como consejero del duque de Osuna, virrey de Nápoles; pero, a la caída de éste, el poeta fue desterrado a su señorío de la Torre de Juan Abad, en la Mancha. En 1621, el nuevo rey, Felipe IV, lo perdona y hasta lo nombrará secretario suyo. En 1634 se casa, pero se separa al poco tiempo. Grande es su preocupación por la progresiva decadencia de España y ha perdido las esperanzas que había depositado en el rey y su valido, el conde-duque de Olivares. En 1639, por oscuras causas políticas, es detenido; sufrirá dura cárcel en San Marcos de León. En junio de 1643 es liberado, pero su salud está rota: morirá en 1645 en Villanueva de los Infantes.

La personalidad de Quevedo es, a primera vista, contradictoria: ora vitalista, ora ascético; ora grave y angustiado, ora desenfadado y burlón. Tradicionalmente, fue el Quevedo satírico y burlesco el más famoso; hoy atrae más, sin duda, el lírico profundo. Pero ambas facetas tienen una fuente común: el desengaño. Nadie expresó tan radicalmente como él ese desengaño barroco, en un doble plano: existencial y político.

Añadamos que enfocó todas las realidades desde la mentalidad tradicional dominante y que fue un amargo testigo del derrumbamiento de los viejos ideales, ya puras apariencias vacías.

Obra, estilo

La producción literaria de Quevedo es abundante. No nos ocuparemos aquí de su obra en prosa: el lector recordará sus principales títulos (el *Buscón,* los *Sueños, La hora de todos, La cuna y la sepultura...).* Sus poemas pasan de ochocientos, sin contar las traducciones; salvo algunos, no se publicaron hasta después de su muerte, en dos volúmenes: *Parnaso español* (1648) y *Las tres Musas...* (1670).

Tanto en la prosa como en el verso, Quevedo es un virtuoso del idioma: nadie lo ha superado en ese terreno. Supo jugar con la lengua, en serio o en broma, hasta extremos asombrosos. Es, como sabemos, la cima del *con-*

ceptismo. Así, la clave de su estilo es la densidad con que acumula comparaciones inesperadas, antítesis y contrastes, paradojas, juegos de palabras. Tales recursos se hacen aún más densos en la poesía, como si las constricciones métricas los propiciaran. En la poesía seria, los artificios están al servicio de la condensación de las ideas y de la intensidad emocional. En la poesía satírica y burlesca, las agudezas y distorsiones sirven a una implacable intención desenmascaradora. El resultado, en uno u otro campo, suele ser tan difícil como deslumbrante.

Cultivó Quevedo todas las formas métricas de su tiempo con igual perfección, pero en su obra domina ampliamente el soneto. Es acaso nuestro máximo sonetista. Y en los cauces estrictos de esta combinación estrófica es donde alcanza su cima la lengua de Quevedo.

Aspectos de su obra poética

En tres apartados puede agruparse lo esencial de su poesía. Tal división no tiene, en absoluto, ninguna base cronológica (desconocemos las fechas de la mayoría de sus poemas, sobre todo de los más importantes). Entiéndase, pues, que el autor cultivó paralelamente esas tres líneas a lo largo de toda su vida.

a) *Poesía filosófica, moral y religiosa.* La raíz de la obra quevedesca, *el desengaño,* aparece sobre todo en lo que Blecua llamó «poemas metafísicos». Son composiciones en las que se encierra su angustiada concepción de la existencia: la vida es breve, fugaz, inconsistente; el Tiempo nos destruye, nos lleva a la muerte; más: vivir es ir muriendo. Se trata, claro es, de grandes temas comunes en su tiempo, pero la originalidad de Quevedo está en la fuerza, en la radicalidad verbal con que los expresó; lo mostrarán los poemas de este apartado.

Ante tan desolada visión, Quevedo buscó consuelo en posturas morales o religiosas. El estoicismo, por ejemplo, le enseñaba a aceptar serenamente tanto los sinsabores de la vida como la muerte; la fe cristiana predicaba el desprecio de la vida terrena y la preparación para morir y alcanzar la plenitud del más allá. Algunos de los poemas que incluimos ilustrarán tales vías de consuelo; pero no es el consuelo lo que domina en él: sus creencias y sus propósitos ascéticos estuvieron siempre en conflicto con sus anhelos vitalistas y su horror a la muerte.

b) Poesía amorosa. Al igual que casi todos los poetas de su tiempo, Quevedo arranca de los tópicos del «amor cortés» y del petrarquismo, pero los transformó de tal modo que, según Dámaso Alonso, es «el más alto poeta de amor de la literatura española». Ello se debe, en buena parte, al hondo entronque de sus poemas amorosos con su poesía «metafísica», es decir, con las preocupaciones a que hemos aludido en el apartado anterior. Porque, en efecto, el amor fue para él un camino para reconciliarse con la vida, para superar la angustia... y hasta para hacerse la ilusión de vencer a la muerte. Pero todo sería una esperanza vana, un ideal imposible. Aquí también se impuso el desengaño una y otra vez; y así, en sus versos, el amor será, a menudo, un penoso conflicto, un dolor que consume, otra forma de vivir muriendo... Ocho bellísimos sonetos ilustrarán estas ideas; hay que destacar los que pertenecen al impresionante cancionero dedicado a *Lisi,* en el que se halla una joya sin par: el soneto «Cerrar podrá mis ojos...».

c) Poesía satírica y burlesca. Como hemos dicho, de su desengaño nacen también sus burlas: son las risotadas amargas o cínicas con las que se desahoga su dolor; es su manera de fustigar, resentido, una realidad que no respondió a sus anhelos vitales. Su sátira apuntará a hipocresías, a ambiciones, al poder del dinero; sus versos harán desfilar toda clase de deformaciones y ridiculeces; llegará a burlarse de lo que más anhelaba, como el amor; hasta la misma inconsistencia de la vida aparecerá en solfa, como podrá verse. Domina, pues, el puro regusto de envilecer la realidad; pero, dentro de esa línea degradante, hay que destacar también una actitud lúdica que nos muestra, una vez más, la capacidad quevedesca de jugar con el lenguaje. Porque, sin duda, es en esta veta de su poesía donde Quevedo va más lejos en creación verbal, en dificultad, en osadía, sin retroceder ante nada.

Significación

A diferencia de Góngora, Quevedo es un escritor cuya fama no ha sufrido altibajos, si bien —como se ha apuntado— cada época ha preferido alguna de sus facetas. En nuestro tiempo, Jorge Luis Borges ha dicho: «Francisco de Quevedo es menos un hombre que una dilatada y compleja literatura.» Con su variedad y sus contradicciones, parece encarnación perfecta de la compleja y contradictoria edad barroca, algunos de cuyos temas y actitudes lleva a sus máximas expresiones. Pero es también el genio del lenguaje que, desde su tiempo, nos lanza troquelaciones verbales de asombrosa modernidad.

POESÍAS FILOSÓFICAS, MORALES Y RELIGIOSAS

47

«¡Ah de la vida!» ... ¿Nadie me responde?
«¡Aquí de los antaños que he vivido!»[1]
La Fortuna mis tiempos ha mordido;
las horas mi locura las esconde.

5 ¡Que sin poder saber cómo ni adónde
la salud y la edad se hayan huido!
Falta la vida, asiste lo vivido,
y no hay calamidad que no me ronde.

Ayer se fue; mañana no ha llegado;
10 hoy se está yendo sin parar un punto:
soy un fue, y un será, y un es cansado.

En el hoy y mañana y ayer, junto
pañales y mortaja, y he quedado
presentes sucesiones de difunto▼.

[1] Véase nota al pie.

▼ Con este soneto —y con los que inmediatamente siguen— abordamos la veta más grave de la creación quevedesca. Atiéndase a la radicalidad y la densidad con que expresa temas centrales del Barroco. Aclaraciones y observaciones:
— *Versos 1-2:* En vano llama a la vida y pide que vuelva el pasado, calcando llamadas del tipo «¡Ah de la casa!» o «¡Aquí de los míos!»
— *Versos 3-4:* «El destino ha ido robándome mis días; mis devaneos esconden mis horas».
— *Verso 7:* «Sólo está presente el recuerdo de lo vivido».
— *Versos 9-11:* Subráyese la impresionante expresión de la fugacidad e inconsistencia de la vida, y la densidad con que las audaces sustantivaciones del verso 11 recogen el cansancio vital.
— *Versos 12-14:* Recuérdese *La cuna y la sepultura,* obra en prosa de Quevedo sobre el corto espacio que separa el nacer y el morir. Además, para el autor, vivir es ir muriendo.

48

¡Fue sueño ayer; mañana será tierra!
¡Poco antes, nada; y poco después, humo!
¡Y destino ambiciones, y presumo[2],
apenas punto al cerco que me cierra!

Breve combate de importuna guerra, 5
en mi defensa soy peligro sumo;
y mientras con mis armas me consumo,
menos me hospeda el cuerpo, que me entierra.

Ya no es ayer; mañana no ha llegado;
hoy pasa, y es, y fue, con movimiento 10
que a la muerte me lleva despeñado.

Azadas son la hora y el momento
que, a jornal de mi pena y mi cuidado[3],
cavan en mi vivir mi monumento[4]▼.

[2] Juzgo (cfr. *infra*).

[3] Preocupación, angustia.

[4] Tumba, sepulcro.

▼ Compárese con el anterior. Observaciones:
— *Versos 1-2:* El sujeto sería *mi vida* (de cuya inconsistencia se queja).
— *Versos 3-4:* Pasaje de difícil interpretación: «Mi ambición es vivir y veo que el círculo de mi vida es apenas un punto» (idea que procede de Séneca: «Lo que vivimos es un punto, y aún menos...»).
— *Versos 5-6:* Alude a lo inútil que es luchar contra la muerte; el esfuerzo que se hace por vivir nos desgasta.
— *Verso 8:* «Mi cuerpo es mi tumba, no mi casa».
— *Versos 12-14:* «El tiempo, ayudado por mis angustias, abre mi tumba en mi propia vida». (En otro poema, Quevedo dice: «Mi vida misma es causa de mi muerte»).

49

Vivir es caminar breve jornada[5],
y muerte viva es, Lico, nuestra vida,
ayer al frágil cuerpo amanecida,
cada instante en el cuerpo sepultada.

5 Nada que, siendo, es poco, y será nada
en poco tiempo, que ambiciosa olvida;
pues, de la vanidad mal persuadida,
anhela duración, tierra animada.

Llevada de engañoso pensamiento
10 y de esperanza burladora y ciega,
tropezará en el mismo monumento[6].

Como el que, divertido[7], el mar navega,
y, sin moverse, vuela con el viento,
y antes que piense en acercarse, llega▼.

[5] Camino o viaje.

[6] Sepulcro.

[7] Distraído, inconsciente.

▼ Sigue girando este soneto en torno a temas tratados en los anteriores. Analícese teniendo en cuenta las notas siguientes:
— Varias ideas se aprietan en los cuartetos: brevedad, fragilidad e inconsistencia de la vida; identificación vida = muerte. Véase la concentración de los versos 5-6 (en el 6 hay una idea vecina a la del verso 3 del soneto anterior: la ambición o anhelo de vivir hace olvidar que la vida es «nada»).
— *Versos 7-8:* «Es vanidad querer que la vida dure, que nuestro cuerpo *(tierra animada)* perviva».
— *Versos 9-11:* ¿Qué «pensamiento» y qué «esperanza» son los que se califican de «engañosos» o «burladores»?

50

Ya formidable[8] y espantoso suena,
dentro del corazón, el postrer día;
y la última hora, negra y fría,
se acerca, de temor y sombras llena.

Si agradable descanso, paz serena
la muerte, en traje de dolor, envía, 5
señas da su desdén de cortesía:
más tiene de caricia que de pena.

¿Qué pretende el temor desacordado[9]
de la que a rescatar, piadosa, viene 10
espíritu en miserias anudado?

Llegue rogada, pues mi bien previene[10];
hálleme agradecido, no asustado;
mi vida acabe, y mi vivir ordene▼.

[8] Temible (significado originario).

[9] Inoportuno, insensato.

[10] Prepara, dispone.

▼ Se proclama aquí, voluntariosamente, la aceptación de la muerte, de acuerdo con una tradición estoica y cristiana. Y ello a pesar de que «la última hora» lleva aparejado el temor, el dolor, etc. Quevedo fluctuó siempre entre «la aceptación de la muerte y el miedo a ella» (F. Lázaro).

51

Un nuevo corazón, un hombre nuevo
ha menester, Señor, la ánima mía;
desnúdame de mí, que ser podría
que a tu piedad pagase lo que debo.

5 Dudosos pies por ciega noche llevo[11],
que ya he llegado a aborrecer el día[12],
y temo que hallaré la muerte fría
envuelta en (bien que dulce) mortal cebo.

Tu hacienda soy; tu imagen, Padre, he sido,
10 y, si no es tu interés en mí, no creo
que otra cosa defiende mi partido.

Haz lo que pide verme cual me veo,
no lo que pido yo: pues, de perdido,
recato mi salud de mi deseo[13]▼.

[11] Pasos equivocados en la noche (= vida errada).

[12] La luz divina, la fe.

[13] Tan perdido estoy que oculto mi salvación a mi apetito.

▼ Este poema y los tres siguientes pertenecen a un poemario titulado *Heráclito cristiano* (Heráclito = filósofo griego que encarnaba, para Quevedo, una visión desengañada de la vida). Estúdiese en ellos la temática filosófica y moral del autor, señalando cómo se combinan el amargo desengaño y el enfoque ascético.

52

Miré los muros de la patria mía[14],
si un tiempo fuertes, ya desmoronados,
de la carrera de la edad cansados,
por quien caduca ya su valentía.

Salíme al campo: vi que el sol bebía 5
los arroyos del hielo desatados,
y del monte quejosos los ganados,
que con sombras hurtó su luz al día.

Entré en mi casa; vi que, amancillada[15],
de anciana habitación era despojos[16]; 10
mi báculo, más corvo y menos fuerte;

vencida de la edad sentí mi espada.
Y no hallé cosa en que poner los ojos
que no fuese recuerdo de la muerte▼.

[14] En principio se refiere a Madrid (cfr. *infra*).

[15] Deslucida, en mal estado.

[16] Restos.

▼ Este famoso soneto admite varias interpretaciones. Su composición parece arrancar de la demolición de las murallas madrileñas, en 1610. Pero este hecho concreto adquiere alcance simbólico en dos planos: el histórico (decadencia de España) y el filosófico (el poder destructor del tiempo y la muerte). Aclaraciones:
— *Versos 3-4:* Es «la carrera de la edad» (el paso del tiempo) quien hace que la valentía «caduque» (se extinga).
— *Versos 5-6:* El sol seca los arroyos que bajan de las cumbres nevadas (imagen de sequía).
— *Versos 7-8:* El verbo principal sigue siendo «vi»: los ganados estaban quejosos del monte, pues éste, con sus sombras, ocultó la luz del sol.
Véase, en fin, cómo todas las imágenes de los versos 1-12 conducen a la terrible frase que cierra el soneto.

53

Todo tras sí lo lleva el año breve[17]
de la vida mortal, burlando el brío
al acero valiente, al mármol frío,
que contra el Tiempo su dureza atreve.

5 Antes que sepa andar el pie, se mueve
camino de la muerte, donde envío
mi vida oscura: pobre y turbio río
que negro mar con altas ondas bebe.

Todo corto momento es paso largo
10 que doy, a mi pesar, en tal jornada[18],
pues, parado y durmiendo, siempre aguijo[19].

Breve suspiro, y último, y amargo,
es la muerte, forzosa y heredada:
mas si es ley, y no pena, ¿qué me aflijo▾?

[17] El breve tiempo de la vida.

[18] Viaje.

[19] Acelero el paso (avanzo hacia la muerte).

▾ La idea de que vivir es un ir hacia la muerte tiene en estos versos algunas formulaciones extremas: señálense. La imagen de los versos 7-8 (río = vida, mar = muerte) tiene un precedente famoso: ¿cuál? El último verso es revelador: Quevedo reconoce que la muerte es «ley» (que se debe acatar) y no «pena» (castigo); pero, a la vez, confiesa su angustia (véase lo dicho sobre el poema **50**).

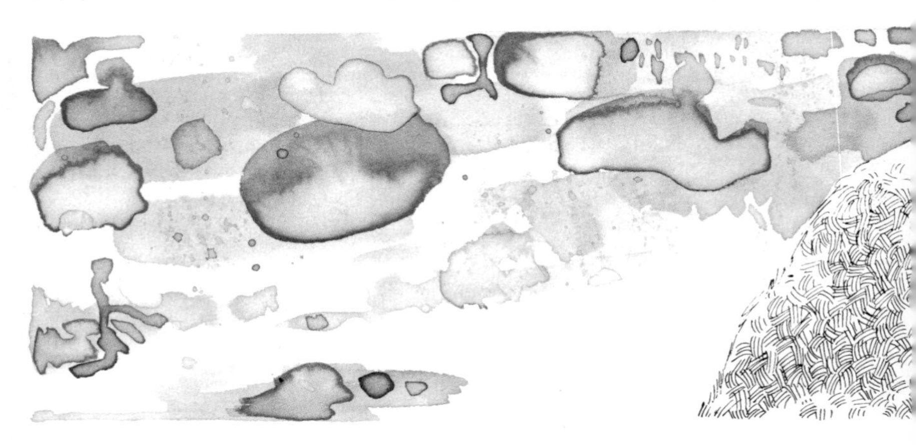

54

¡Cómo de entre mis manos te resbalas!
¡Oh, cómo te deslizas, edad mía!
¡Qué mudos pasos traes, oh muerte fría,
pues con callado pie todo lo igualas!

5 Feroz, de tierra el débil muro escalas,
en quien lozana[20] juventud se fía;
mas ya mi corazón del postrer día
atiende[21] el vuelo, sin mirar las alas.

¡Oh condición mortal! ¡Oh dura suerte!
10 ¡Que no puedo querer vivir mañana
sin la pensión[22] de procurar mi muerte!

Cualquier instante de la vida humana
es nueva ejecución[23], con que me advierte
cuán frágil es, cuán mísera, cuán vana▼.

[20] Hermosa, esplendorosa.

[21] Espera, aguarda.

[22] Precio (el precio de querer vivir mañana es acercarse a la muerte).

[23] Sentencia de embargo de bienes (en lenguaje jurídico).

▼ ¿Cómo se manifiesta en este soneto la queja angustiada? ¿Y la advertencia de raíz ascética? ¿Cuál de los dos aspectos domina?

55

Un godo, que una cueva en la montaña
guardó[24], pudo cobrar las dos Castillas;
del Betis y Genil las dos orillas,
los herederos[25] de tan grande hazaña.

A Navarra te dio justicia y maña[26]; 5
y un casamiento[27], en Aragón, las sillas
con que a Sicilia y Nápoles humillas,
y a quien Milán espléndida acompaña.

Muerte infeliz en Portugal arbola[28]
tus castillos. Colón pasó los godos 10
al ignorado cerco de esta bola.

Y es más fácil, ¡oh España!, en muchos modos,
que lo que a todos les quitaste sola
te puedan a ti sola quitar todos▼.

[24] Conservó (se refiere a Don Pelayo).

[25] Los Reyes Católicos.

[26] *Te* se refiere a España: «La maña te dio a Navarra».

[27] La boda de los Reyes Católicos y la expansión por Italia.

[28] La muerte del rey Don Sebastián hizo que Portugal pasara a España y su bandera ondeara *(arbolara)* en nuestros castillos.

▼ Véase hasta qué punto era Quevedo consciente de que la desmesurada expansión de España podía ser causa de su ruina. Los dos versos finales forman un espléndido retruécano: coméntense. ¿Cuál es el alcance moral de este soneto?

56

Retirado en la paz de estos desiertos,
con pocos, pero doctos libros juntos,
vivo en conversación con los difuntos
y escucho con mis ojos a los muertos.

5 Si no siempre entendidos, siempre abiertos,
o enmiendan, o fecundan[29] mis asuntos;
y en músicos callados contrapuntos[30]
al sueño de la vida[31] hablan despiertos.

Las grandes almas que la muerte ausenta,
10 de injurias de los años, vengadora,
libra, ¡oh gran don Josef!, docta la emprenta[32].

En fuga irrevocable huye la hora;
pero aquélla el mejor cálculo[33] cuenta
que en la lección y estudios nos mejora▼.

[29] El sujeto es *los libros.*

[30] Armonías calladas con que hablan los libros.

[31] La vida es sueño.

[32] «La imprenta libra del olvido a los grandes escritores muertos».

[33] Piedrecita para contar o señalar («La mejor piedrecita señala aquella hora empleada en la lectura»).

57

EL RELOJ DE ARENA

¿Qué tienes que contar, reloj molesto,
en un soplo de vida desdichada
que se pasa tan presto;
en un camino que es una jornada,
5 breve y estrecha, de éste al otro polo[34],
siendo jornada que es un paso solo?

[34] Del nacimiento a la muerte.

▼ El clásico ideal de la vida retirada (relacionable con el tema del desengaño del mundo) le inspiró a Quevedo este soneto, escrito en su retiro manchego (Torre de Juan Abad), ya en su vejez.

Que, si son mis trabajos[35] y mis penas,
no alcanzarás allá, si capaz vaso
fueses[36] de las arenas
en donde el alto mar detiene el paso. 10
Deja pasar las horas sin sentirlas,
que no quiero medirlas,
ni que me notifiques de esa suerte
los términos[37] forzosos de la muerte.
No me hagas más guerra; 15
déjame, y nombre de piadoso cobra,
que harto tiempo me sobra
para dormir debajo de la tierra.
  Pero si acaso por oficio tienes
el contarme la vida, 20
presto descansarás, que los cuidados
mal acondicionados,
que alimenta lloroso
el corazón cuitado y lastimoso,
y la llama atrevida 25
que Amor, ¡triste de mí!, arde en mis venas
(menos de sangre que de fuego llenas),
no sólo me apresura[38]
la muerte, pero[39] abréviame el camino;
pues, con pie doloroso, 30
mísero peregrino,
doy cercos a la negra sepultura.
Bien sé que soy aliento fugitivo;
ya sé, ya temo, ya también espero
que he de ser polvo, como tú, si muero, 35
y que soy vidrio, como tú, si vivo▼.

[35] Sufrimientos.

[36] *Si:* aunque («aunque fueses capaz vaso...»).

[37] Plazo, tiempo fijado.

[38] Hoy iría en plural, pues lleva doble sujeto: «Los cuidados y la llama de amor me apresura*n* (aceleran) la muerte».

[39] Sino que además...

▼ Compuso Quevedo varios poemas a relojes, productos de su obsesión por el paso del tiempo. En éste se hallarán versos estremecedores (por ejemplo, 17-18) y hermosísimos. Destáquense los cuatro últimos, con sus certeras imágenes de fugacidad, fragilidad e inconsistencia.

58

Adán en Paraíso, Vos en huerto[40]:
él puesto en honra, Vos en agonía;
él duerme, y vela mal su compañía;
la vuestra duerme, Vos oráis despierto.

5 Él cometió el primero desconcierto,
Vos concertasteis nuestro primer día;
cáliz bebéis, que vuestro Padre envía;
él come inobediencia, y vive muerto.

El sudor de su rostro le sustenta;
10 el del vuestro mantiene nuestra gloria:
suya la culpa fue, vuestra la afrenta.

Él dejó horror, y Vos dejáis memoria;
aquél fue engaño ciego, y ésta venta[41].
¡Cuán diferente nos dejáis la historia▼!

[40] El primer cuarteto alude a la oración del huerto, preludio de la Pasión.

[41] Cristo se entrega para «comprar» la salvación de los hombres.

▼ Quevedo escribió muchos poemas sobre santos y figuras bíblicas. Su genio se manifiesta especialmente en los dedicados a la pasión de Cristo. Este soneto, además, es una bellísima cadena de antítesis, recurso tan barroco.

POESÍAS AMOROSAS

59

Mandóme, ¡ay Fabio!, que la amase Flora,
y que no la quisiese; y mi cuidado[42],
obediente y confuso y mancillado[43],
sin desearla, su belleza adora.

Lo que el humano afecto siente y llora, 5
goza el entendimiento, amartelado[44]
del espíritu eterno, encarcelado
en el claustro mortal[45] que le atesora.

Amar es conocer virtud ardiente;
querer es voluntad interesada, 10
grosera y descortés caducamente.

El cuerpo es tierra, y lo será, y fue nada;
de Dios procede a eternidad la mente:
eterno amante soy de eterna amada▼.

[42] Preocupación, atención.

[43] Herido, lastimado.

[44] Enamorado.

[45] El cuerpo.

▼ La poesía amorosa de Quevedo y de todo el Siglo de Oro tiene unas raíces que, a través de Petrarca, se remontan al «amor cortés» provenzal, con ocasionales rastros de amor platónico. Así, en este soneto se oponen *amar* y *querer,* amor espiritual y amor carnal. Como en el «amor cortés», se proclama la superioridad del primero, por ser eterno; pero, también como en los trovadores provenzales, la renuncia al «humano afecto» conlleva un inevitable sufrimiento. Nótese la belleza de los tercetos en los que se transparenta la obsesión por la muerte y la sed de eternidad.

60

A fugitivas sombras doy abrazos;
en los sueños se cansa el alma mía;
paso luchando a solas noche y día
con un trasgo[46] que traigo entre mis brazos.

5 Cuando le quiero más ceñir con lazos,
y viendo mi sudor, se me desvía,
vuelvo con nueva fuerza a mi porfía,
y temas[47] con amor me hacen pedazos.

Voyme a vengar en una imagen vana
10 que no se aparta de los ojos míos;
búrlame, y de burlarme corre ufana.

Empiézola a seguir, fáltanme bríos;
y como de alcanzarla tengo gana,
hago correr tras ella el llanto en ríos▼.

[46] Fantasma, duende.

[47] *La tema* (femenino) es «obstinación, insistencia, obsesión».

▼ El amor puede ser un alto ideal en Quevedo, pero es un ideal inalcanzable, un sueño irrealizable, como muestran estos versos tan dolorosos.

61

Es hielo abrasador, es fuego helado,
es herida que duele y no se siente,
es un soñado bien, un mal presente,
es un breve descanso muy cansado.

Es un descuido que nos da cuidado, 5
un cobarde, con nombre de valiente,
un andar solitario entre la gente,
un amar solamente ser amado.

Es una libertad encarcelada,
que dura hasta el postrero parasismo[48]; 10
enfermedad que crece si es curada.

Éste es el niño Amor, éste es su abismo.
¡Mirad cuál amistad tendrá con nada
el que en todo es contrario de sí mismo▼!

[48] Paroxismo (agravamiento de una enfermedad); aquí, la agonía.

▼ Si los dos sonetos precedentes nos han mostrado ya contradicciones entre el cuerpo y el espíritu, entre el deseo y la insatisfacción, entre el sueño y la realidad, este poema —inspirado en otro de Camoens, el máximo poeta portugués (s. XVI)— define el amor precisamente con una sarta de contradicciones. Como sabemos, este enfoque tiene también sus raíces en la poesía provenzal (véanse los poemas **22** y **23** de Lope y lo que sobre ellos dijimos).

[A LISI▼]

62

Que vos me permitáis sólo pretendo,
y saber ser cortés y[49] ser amante;
esquivo los deseos, y constante,
sin pretensión, a sólo amar atiendo[50].

5 Ni con intento de gozar ofendo
las deidades del garbo y del semblante;
no fuera[51] lo que vi causa bastante,
si no se le añadiera lo que entiendo[52].

10 Llamáronme los ojos las faciones[53];
prendiéronlos eternas jerarquías
de virtudes y heroicas perfecciones.

No verán de mi amor el fin los días:
la eternidad ofrece sus blasones
a la pureza de las ansias mías▼▼.

49 *Y... y...*: «no sólo..., sino también» (uso latinizante).

50 Aspiro.

51 No hubiera sido.

52 Lo que capta el espíritu (más valioso que lo que captan los ojos).

53 Las facciones de la dama atrajeron los ojos del poeta.

▼ Los cinco sonetos siguientes forman parte de un amplio cancionero inspirado por Lisi. Son irrelevantes las conjeturas que se han hecho sobre quién sería tal dama (y quizás fuera un puro ideal). En cualquier caso, este poemario es uno de los grandes monumentos de la poesía amorosa en castellano.

▼▼ Interesa este soneto como otra muestra de la huella del «amor cortés» en Quevedo: compárese con el **59**, y nótese la semejanza de los tercetos finales de ambos: en ellos se expresa un anhelo que alcanzará magnas resonancias en los poemas siguientes.

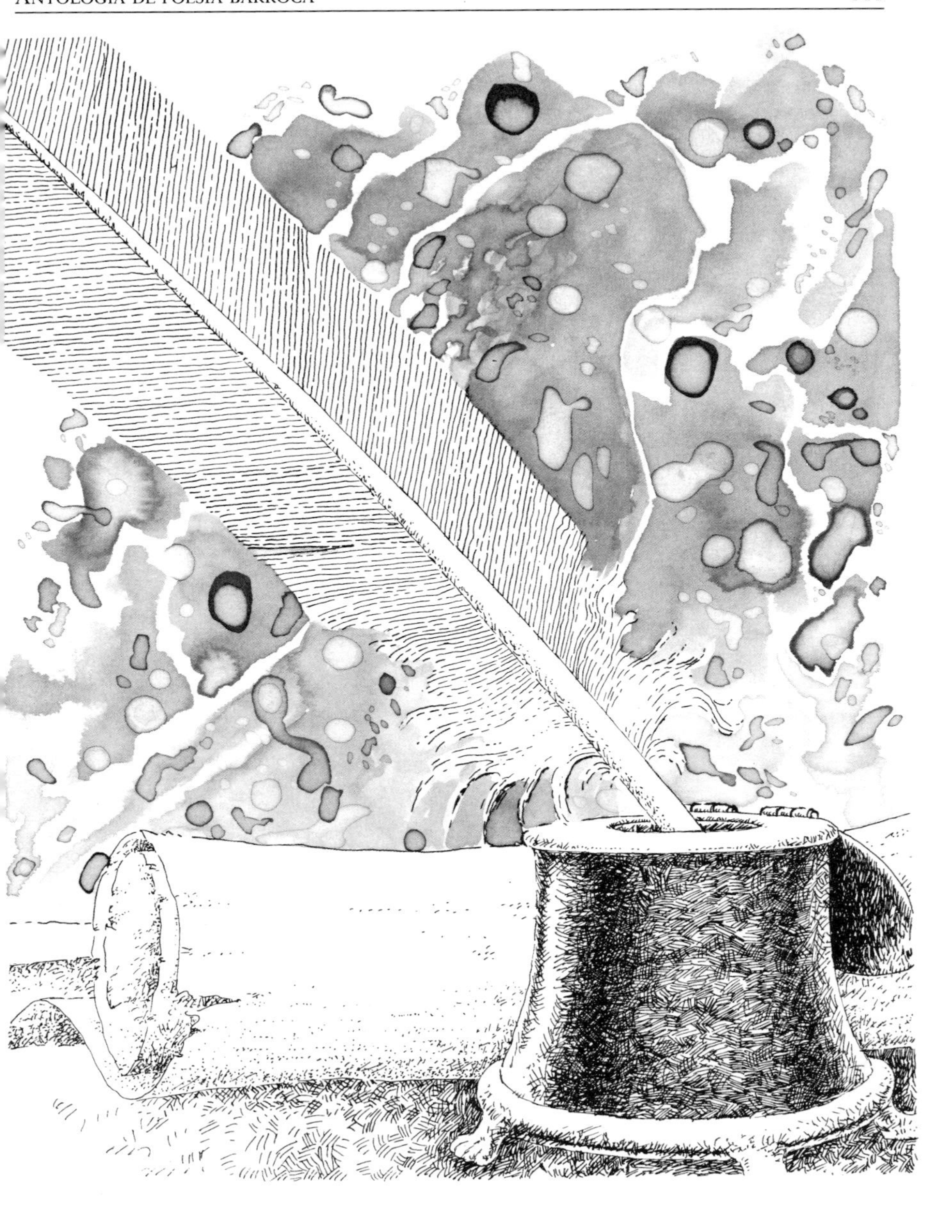

63

Si hija de mi amor mi muerte fuese,
¡qué parto tan dichoso que sería
el de mi amor contra la vida mía!
¡Qué gloria, que el morir de amar naciese!

5 Llevara yo en el alma adonde fuese
el fuego[54] en que me abraso, y guardaría
su llama fiel con la ceniza fría
en el mismo sepulcro en que durmiese.

De esotra parte de la muerte dura[55],
10 vivirán en mi sombra mis cuidados,
y más allá del Lete[56] mi memoria.

Triunfará del olvido tu hermosura;
mi pura fe y ardiente, de los hados;
y el no ser, por amar, será mi gloria▼.

[54] La pasión amorosa.

[55] «Más allá de la muerte».

[56] Río del olvido, que se atravesaba al morir (mitología).

▼ Tras manifestar su deseo de morir de amor, proclama audazmente la fuerza de su pasión, capaz de vencer las leyes del olvido y de la muerte. Y es un poeta angustiado por la muerte el que asigna al amor ese poder de vencerla, y de eternizar así al enamorado, no sólo en espíritu, sino también en su carne («cenizas», v. 7). Están ya muy cerca estos versos del famosísimo soneto que sigue: compárense.

64

Cerrar podrá mis ojos la postrera
sombra que me llevare el blanco día,
y podrá desatar esta alma mía
hora[57] a su afán ansioso lisonjera[58];

mas no, de esotra parte, en la ribera[59], 5
dejará la memoria, en donde ardía:
nadar sabe mi llama el agua fría,
y perder el respeto a ley severa.

Alma a quien todo un dios[60] prisión ha sido,
venas que humor[61] a tanto fuego han dado, 10
medulas que han gloriosamente ardido,

su cuerpo dejará, no su cuidado[62];
serán ceniza, mas tendrán sentido;
polvo serán, mas polvo enamorado▼.

[57] La hora de la muerte.

[58] Agradable, dispuesta a agradar.

[59] Ribera del río Leteo (cfr. nota 56 e *infra*).

[60] Cupido, dios del amor.

[61] Sangre que ha alimentado su fuego o pasión amorosa.

[62] Aquí «pasión amorosa».

▼ Éste es, para Dámaso Alonso, el más hermoso soneto de amor de la literatura española. Lo proponemos para comentario de texto. Para su comprensión literal, se tendrán en cuenta las siguientes aclaraciones:
— *Versos 1-2:* «podrá la muerte cerrarme los ojos y llevárseme la blanca luz del día».
— *Verso 4:* La última hora está dispuesta a satisfacer el afán ansioso del alma: morir (pues su amor no es correspondido).
— *Versos 5-6:* Pasaje difícil, que admite varias interpretaciones; siguiendo la puntuación de Blecua, proponemos ésta: «pero, ya en la otra parte (del Leteo), el alma no habrá dejado la memoria en la ribera en la que ardía de amor». Los dos versos siguientes insisten: la llama del amor habrá pasado el río, infringiendo la ley de la muerte y el olvido (cfr. el soneto anterior).

COMENTARIO 3 (Soneto 64)

- *Sitúa el poema dentro de la poesía amorosa de Quevedo, pero, a la vez, teniendo en cuenta lo que nos han enseñado sus poesías filosóficas.*

- *Enuncia el tema del soneto, estableciendo con claridad cómo se relacionan las ideas de amor y muerte.*

- *Observa el valor concesivo de las expresiones «cerrar podrá» y «podrá desatar»: ¿qué actitud revelan en el autor?*

- *Advierte las perífrasis o elusiones «postrera sombra» y «hora», indicando su valor.*

- *¿Cómo se opone el segundo cuarteto al primero? Observa la firmeza y hasta la rebeldía del tono.*

- *Los tercetos son perfectos. ¿Qué precisiones introducen? ¿Qué estructura adoptan?*

- *Nótese el apasionamiento del primer terceto: ¿cómo se consigue?*

- *En el terceto final reaparece —pero con inusitada concentración— la construcción sintáctica a la que respondían los cuartetos: oraciones con futuros de valor concesivo, seguidas de adversativas. ¿Qué revela todo ello?*

- *El verso final es justamente famoso, impresionante. Indica cómo confluyen y culminan en él algunos elementos anteriores.*

- *Conclusión.*

65

No me aflige morir; no he rehusado
acabar de vivir, ni he pretendido
alargar esta muerte que ha nacido
a un tiempo con la vida y el cuidado.

Siento haber de dejar deshabitado 5
cuerpo que amante espíritu ha ceñido;
desierto un corazón siempre encendido,
donde todo el Amor reinó hospedado.

Señas me da mi ardor de fuego eterno,
y de tan larga y congojosa historia 10
sólo será escritor mi llanto tierno.

Lisi, estáme diciendo la memoria
que, pues tu gloria la padezco infierno,
que llame al padecer tormentos, gloria▼.

▼ Atiéndase, sobre todo, a la contradicción que contiene este soneto: en el primer cuarteto se acepta la muerte, *pero* (y debe entenderse un «pero» entre los dos cuartetos) no se resigna a dejarlo todo. Partiendo de esto, se comparará este poema con los anteriores, señalando sus elementos comunes (y sin olvidar qué contrapuestas actitudes frente a la muerte nos ha mostrado Quevedo: por ejemplo, en los sonetos **50** y **53**, entre otros).

66

Amor me ocupa el seso y los sentidos;
absorto estoy en éxtasi[63] amoroso;
no me concede tregua ni reposo
esta guerra civil de los nacidos.

5 Explayóse el raudal de mis gemidos
por el grande distrito y doloroso
del corazón, en su penar dichoso,
y mis memorias[64] anegó en olvidos.

Todo soy ruinas, todo soy destrozos,
10 escándalo funesto a los amantes
que fabrican de lástima sus gozos.

Los que han de ser, y los que fueron antes,
estudien su salud en mis sollozos,
y envidien mi dolor, si son constantes▼.

[63] Arrebato, rapto.

[64] Recuerdos. (El amor le ha hecho olvidar todo lo demás.)

▼ Desde el principio de esta sección se han visto las contradicciones con que se presenta al amor: hermoso ideal y realidad inalcanzable, fuerza e inconsistencia, gloria e infierno, etc. En este soneto, es la fuerza devastadora de la pasión lo que prevalece; y el poeta se ofrece como aviso y escarmiento a los demás. A este punto llega su *desengaño* amoroso. Subráyese la intensidad de ciertas expresiones.

POESÍA SATÍRICA Y BURLESCA

67

Érase un hombre a una nariz pegado,
érase una nariz superlativa,
érase una alquitara[65] medio viva,
érase un peje[66] espada mal barbado;

era un reloj de sol mal encarado, 5
érase un elefante boca arriba,
érase una nariz sayón y escriba[67],
un Ovidio Nasón[68] mal narigado.

Érase el espolón de una galera[69], 10
érase una pirámide de Egito[70],
los doce tribus[71] de narices era;

érase un naricísimo infinito,
frisón[72] archinariz, caratulera[73],
sabañón garrafal[74], morado y frito▼.

[65] Alambique, recipiente con un tubo largo e inclinado.

[66] Doble sentido: «pez» y «sinvergüenza».

[67] Alusión a los judíos.

[68] Gran poeta latino; *Nasón* significaba «narigudo» *(naso* = nariz).

[69] Remate afilado de la proa de una nave.

[70] Egipto.

[71] Otra alusión a los judíos (cfr. *infra*).

[72] Enorme.

[73] Que parecía postiza, como las de ciertas caretas o máscaras.

[74] Descomunalmente hinchada.

▼ De esta obra maestra del ingenio burlesco existen varias versiones: la que ofrecemos es seguramente la más elaborada por el poeta. Admírese el alarde de juegos conceptistas. Además de lo anotado al margen del texto, se observará lo siguiente:
— *Versos 1-4:* Aparte de otras hipérboles, la imagen de la *alquitara* sugiere el líquido que gotea de su tubo. *Mal barbado:* el pez espada no lleva barba, sino unas pequeñas protuberancias (que se comparan a los pelos que salen de la nariz).
— *Verso 5:* Doble sentido: reloj de sol con la barra torcida o mal dirigida; a la vez, de cara desagradable.
— *Verso 6:* Otro doble sentido: *a)* elefante panza arriba; *b)* parecía un elefante de la boca para arriba, por la trompa que llevaba.
— *Verso 11:* Aquella nariz valía por las de las doce tribus de Israel.

68

Si no duerme su cara con Filena,
ni con sus dientes come, y su vestido
las tres partes le hurta a su marido,
y la cuarta el afeite[75] le cercena;

5 si entera con él come y con él cena,
mas debajo del lecho mal cumplido,
todo su bulto esconde, reducido
a chapinzanco[76] y moño por almena,

¿por qué te espantas, Fabio, que, abrazado
10 a su mujer, la busque y la pregone,
si, desnuda, se halla descasado?

Si cuentas por mujer lo que compone
a la mujer, no acuestes a tu lado
la mujer, sino el fardo que se pone▼.

[75] Maquillaje.

[76] Creación verbal: chapín + zanco (zapatos de tacones tan altos como zancos).

▼ Quevedo —ese gran desengañado del amor, como vimos— se ceba en sus burlas de las mujeres. Aquí, la llamada Filena queda «desrealizada»: todo en ella es postizo, pura apariencia. (Sería muy útil comparar este soneto con el episodio de la aparente «mujer hermosa» en el sueño de *El mundo por dentro.)*

69

Sol os llamó mi lengua pecadora,
y desmintióme a boca llena el cielo;
luz os dije que dábades[77] al suelo,
y opúsose un candil, que alumbra y llora[78].

Tan creído tuvisteis ser *aurora,* 5
que amanecer quisisteis con desvelo;
en vos llamé *rubí* lo que mi abuelo
llamara labio y jeta comedora.

Codicia os puse de vender los dientes,
diciendo que eran *perlas;* por ser bellos, 10
llamé los rizos *minas de oro* ardientes.

Pero si fueran oro los cabellos,
calvo su casco fuera[79], y diligentes
mis dedos los pelaran por vendellos▼.

[77] Dabais.

[78] «Llora» gotas de aceite.

[79] Sería.

▼ En este otro producto del desengaño, Quevedo se burla del lenguaje de la poesía amorosa: las palabras en cursiva aparecen en los versos de Garcilaso, Herrera, Góngora y todos los poetas que les rodean... incluso en la poesía seria del mismo Quevedo (recuérdese el poema **9**, de Góngora). La desmitificación quevedesca es feroz (por ejemplo, en los versos 7-8 o en el terceto final) y, sin duda, no exenta de amargura.

70

La vida empieza entre lágrimas y caca,
luego viene la *mu*[80], con *mama* y *coco,*
síguense las viruelas, baba y moco,
y luego llega el trompo y la matraca[81].

5 En creciendo, la amiga[82] y la sonsaca[83];
con ella embiste el apetito loco;
en subiendo a mancebo, todo es poco,
y después la intención peca en bellaca.

Llega a ser hombre, y todo lo trabuca[84];
10 soltero sigue toda perendeca[85];
casado se convierte en mala cuca[86].

Viejo encanece, arrúgase y se seca;
llega la muerte, y todo lo bazuca[87],
y lo que deja paga, y lo que peca▼.

[80] Balbuceo infantil.

[81] Estas palabras que designan juegos infantiles, significan también «bobo» y «lata» o «burla».

[82] Amante.

[83] Accion de sacar dinero, estafa.

[84] Trastorna, confunde.

[85] Prostituta.

[86] Cornudo.

[87] Revuelve.

▼ Véase hasta qué punto este gran desengañado se complace en degradar la realidad —en insultarla, diríamos—; no cabe una visión más agria de la vida. Se notará cómo se consigue el tono áspero del texto merced a ciertas palabras vulgares y a la seca sonoridad de las rimas *(-aca, -oco, -uca, -eca).*

71

Hijos que me heredáis: la calavera
pudre, y no bebe el muerto en el olvido;
del sepulcro no come y es comido:
tumba, no aparador, es quien lo espera.

La que apenas ternísima ternera 5
la leche en roja sangre ha convertido,
no por ofrenda, por almuerzo os pido,
y el responso[88], después, de hambre muera.

Dadme aquí los olores cuando huelo;
y mientras algo soy, goce de todo: 10
venga el pellejo[89] cuando sorbo y cuelo.

A engullirme mis honras me acomodo[90],
que dar el vino al polvo no es consuelo,
y piensan que hacen bien, y hacen lodo▼.

[88] El difunto, por quien se reza.

[89] Bota de vino.

[90] Prefiero engullir lo que se destina a mis honras fúnebres.

▼ Poema interesantísimo que, tras su tono desenfadado, es más serio de lo que parece. El convencimiento de la caducidad de la vida tiene aquí como salida el ansia de gozar, de aprovechar el instante (recuérdese el tema clásico del *Carpe diem:* «aprovecha el día presente»). Es una actitud vitalista que contrasta con la actitud ascética de otros momentos. Por lo demás, se notarán los aciertos expresivos: por ejemplo, la antítesis de los versos 1-4, la belleza de los vv. 5-6, la intensidad vitalista de los vv. 9-10, etc.

72

Pues amarga la verdad,
quiero echarla de la boca;
y si al alma su hiel toca,
esconderla es necedad.
5 Sépase, pues libertad
ha engendrado[91] en mi pereza
la pobreza.
¿Quién hace al tuerto galán
y prudente al sin consejo?
10 ¿Quién al avariento viejo
le sirve de río Jordán[92]?
¿Quién hace de piedras pan,
sin ser el Dios verdadero[93]?
El dinero.
15 ¿Quién con su fiereza espanta
el cetro y corona al rey?
¿Quién, careciendo de ley[94],
merece nombre de santa?
¿Quién con la humildad levanta
20 a los cielos la cabeza?
La pobreza.
¿Quién los jueces con pasión,
sin ser ungüento, hace humanos,
pues untándoles las manos
25 les ablanda el corazón?
¿Quién gasta su opilación[95]
con oro y no con acero?
El dinero.
¿Quién procura que se aleje
30 del suelo la gloria vana?
¿Quién, siendo toda cristiana,
tiene la cara de hereje[96]?
¿Quién hace que al hombre aqueje
el desprecio y la tristeza?
35 *La pobreza.*

[91] El sujeto de *ha engendrado* es la pobreza; libertad es el complemento directo.

[92] Se atribuía a sus aguas una virtud rejuvenecedora.

[93] El demonio tentó a Cristo diciéndole que convirtiera las piedras en pan.

[94] La pobreza no tiene «ley» como los metales preciosos.

[95] Enfermedad que se trataba «tomando acero» (bebiendo agua ferruginosa).

[96] Mala cara.

¿Quién la montaña derriba
al valle; la hermosa al feo?
¿Quién podrá[97] cuanto el deseo,
aunque imposible, conciba?
¿Y quién lo de abajo arriba 40
vuelve, en el mundo, ligero[98]?
El dinero▼.

[97] ¿Quién conseguirá todo lo que...?

[98] ¿Quién vuelve rápidamente...?

▼ Esta célebre letrilla debe estudiarse con la siguiente, aún más famosa. Aquí se desarrolla el contraste entre pobreza y dinero: coméntense el alcance crítico y el trasfondo moral. ¿Se percibe cierta amargura en algunos versos?

73

LETRILLA SATÍRICA

Poderoso caballero
es don Dinero.

Madre, yo al oro me humillo;
él es mi amante y mi amado,
5 pues, de puro enamorado,
de continuo anda amarillo[99];
que pues, doblón[100] o sencillo,
hace todo cuanto quiero,
poderoso caballero
10 *es don Dinero.*
Nace en las Indias honrado,
donde el mundo le acompaña;
viene a morir en España,
y es en Génova enterrado.
15 Y pues quien le trae al lado
es hermoso, aunque sea fiero[101],
poderoso caballero
es don Dinero.
Es galán y es como un oro,
20 tiene quebrado el color[102],
persona de gran valor,
tan cristiano como moro.
Pues que da y quita el decoro
y quebranta cualquier fuero[103],
25 *poderoso caballero*
es don Dinero.
Son sus padres principales,
y es de nobles descendiente,
porque en las venas[104] de Oriente
30 todas las sangres son reales[105],

[99] Color que se atribuía a los enamorados.

[100] Moneda de gran valor.

[101] Muy feo.

[102] Se decía del rostro pálido, amarillento (cfr. nota 99).

[103] Jurisdicción, poder, ley.

[104] Doble sentido: «venas» y «filones».

[105] *Real* (adj.) era «regio»; como sustantivo era una moneda.

y pues es quien hace iguales
al duque y al ganadero,
poderoso caballero
es don Dinero.

Mas ¿a quién no maravilla 35
ver en su gloria sin tasa
que es lo menos de su casa
doña Blanca[106] de Castilla?
Pero, pues da al bajo silla
y al cobarde hace guerrero, 40
poderoso caballero
es don Dinero.

Sus escudos[107] de armas nobles
son siempre tan principales,
que sin sus escudos reales 45
no hay escudos de armas dobles;
y pues a los mismos robles[108]
da codicia su minero[109],
poderoso caballero
es don Dinero. 50

Por importar en los tratos[110]
y dar tan buenos consejos,
en las casas de los viejos
gatos le guardan de gatos[111].
Y pues él rompe recatos 55
y ablanda al juez más severo,
poderoso caballero
es don Dinero.

Y es tanta su majestad
(aunque son sus duelos hartos)[112], 60
que con haberle hecho cuartos[113],
no pierde su autoridad;
pero, pues da calidad
al noble y al pordiosero,
poderoso caballero 65
es don Dinero.

106 La *blanca* era la moneda más pequeña.

107 Doble sentido: «escudo nobiliario» y «escudo», moneda (cfr. *infra*).

108 Naves que traían la plata de América.

109 Mina.

110 Significa también «negocios» y «relaciones sexuales».

111 *Gatos* son «bolsas para guardar dinero» y «ladrones».

112 Muchos.

113 Nombre de otra moneda de poco valor (cfr. *infra*).

Nunca vi damas ingratas
a su gusto y afición;
que a las caras de un doblón
70 hacen sus caras baratas[114];
y pues las hace bravatas[115]
desde una bolsa de cuero,
poderoso caballero
es don Dinero.
75 Más valen en cualquier tierra
(¡mirad si es harto sagaz!)
sus escudos en la paz
que rodelas[116] en la guerra.
Y pues al pobre le entierra
80 y hace proprio al forastero,
poderoso caballero
es don Dinero▼.

[114] Se entregan fácilmente.

[115] «Les hace señas descaradas» o «las hace descaradas».

[116] Escudos redondos.

▼ Como se ve, el tema del dinero —presente en el poema anterior— alcanza en esta memorable letrilla un desarrollo extraordinario. Para su interpretación global, se tendrán en cuenta, junto al alcance moral (ataque a la corrupción de diverso tipo), los prejuicios sociales del autor (no admite que el dinero iguale a nobles y burgueses o plebeyos). Pero lo más asombroso de este poema son sus continuos juegos verbales, que lo convierten en una obra maestra del *conceptismo.* Bien vale la pena el trabajo de desentrañar tales juegos, valorando el ingenio y la comicidad. Como ayuda, añadiremos unas observaciones a lo anotado al margen:
— *Versos 11-14:* Los metales preciosos de América iban a parar en buena parte a los banqueros genoveses.
— *Versos 21-22:* El dinero «no tiene color»; no importa la raza si se es rico.
— *Versos 37-38:* La moneda más pequeña tiene nombre de reina.
— *Versos 45-46:* Se juega con reales: «regios» y nombre de moneda. Luego, juega con armas dobles: en algunas monedas había escudos duplicados, pero, además, dos escudos valían un *doblón.*
— *Verso 61:* El cuarto es una moneda, pero *hacer cuartos* es «descuartizar», «destrozar».

VILLAMEDIANA

Vida

Don Juan de Tassis y Peralta, conde Villamediana, nació en 1582. Su vida fue breve y turbulenta. Ora disfrutó de cargos y honores importantes, ora dio escándalos de toda índole que le valieron varios destierros; durante el último, en Alcalá de Henares (1618-1621), le asalta el desengaño. ¿Dejará su vida desordenada? De nuevo en Madrid, una noche de agosto de 1622 es víctima de un brutal asesinato que dio mucho que hablar, pero que no pudo aclararse. Le sobreviviría su doble fama de hombre disoluto y espléndido poeta.

Obra

Salvo poemas de circunstancias, su obra responde a cuatro líneas esenciales: el amor, la sátira, el desengaño y la creación estética de influencia gongorina.

Fue, en efecto, un ferviente seguidor de Góngora en poemas como la extensa *Fábula de Faetón,* ciertamente valiosa, pero que no cabe recoger aquí. Tampoco daremos muestras de su poesía satírica, que sólo se apreciará plenamente si se conocen circunstancias y problemillas de su tiempo.

Hoy, para nosotros, son dos los aspectos de su poesía que prevalecen y que estarán mínimamente representados en esta antología:

a) *Poesía amorosa.* Tras Lope y Quevedo, nadie en el siglo XVII ocupa un lugar más alto que Villamediana como poeta amoroso. En sus sonetos se condensa prodigiosamente esa línea esencial de la poesía del Siglo de Oro que desarrolla el «amor cortés» y el petrarquismo. El poeta, «siervo» de la mujer, la ama sin esperanza; la desea y no la pretende. Por eso, el amor es una vivencia contradictoria: es destino doloroso y, a la vez, motivo de orgullo; es dolor y dicha, gloria y pena; es anhelo inmortal y, a la vez, muerte. La crítica se ha preguntado cómo se compagina este alto ideario amoroso con lo que sabemos sobre la vida disoluta del autor. ¿Contradicción entre «literatura» y vida, entre ideal y realidades? Lo único que está claro es la hondura y la belleza que tienen —*en sí*— sonetos como los que hemos recogido.

b) *Poemas del desengaño.* Parejos en hondura son una serie de poemas que cabe relacionar con el desengaño de sus últimos años. Desengaño que presenta varias facetas: es el desengaño *moral* de quien quisiera matar deseos y esperanzas, o reprueba ambiciones y mentiras; es el desengaño *histórico* de quien lamenta el tiempo que le ha tocado vivir; y es, en fin, el desengaño *metafísico* de quien piensa que ser hombre es «ser un inútil anhelar perdido».

Por estos aspectos y —subrayémoslo— por su talla de sonetista, el conde de Villamediana merece figurar en una primera —ya que no primerísima— línea de la lírica barroca. Tras Quevedo, es sin duda el mayor poeta de su generación.

74

Nadie escuche mi voz y triste acento,
de suspiros y lágrimas mezclado,
si no es que tenga el pecho lastimado
de dolor semejante al que yo siento.

Que no pretendo ejemplo ni escarmiento 5
que rescate a los otros de mi estado,
sino mostrar creído, y no aliviado,
de un firme amor el justo sentimiento.

Juntóse con el cielo a perseguirme,
la que tuvo mi vida en opiniones[1], 10
y de mí mismo a mí como en destierro.

Quisieron persuadirme las razones,
hasta que en el propósito más firme
fue disculpa del yerro el mismo yerro▼.

[1] Hizo que murmuraran de mí.

▼ Al frente de los sonetos amorosos del autor figura éste, en el que aparecen ya algunas ideas centrales de su concepción del amor (con sus raíces en el amor cortés y el petrarquismo): el amor es destino doloroso, pero —a la vez— motivo de orgullo. Aclaraciones:
— *Versos 5-6:* No pretende servir de ejemplo ni de escarmiento a los demás.
— *Versos 7-8:* Pretende dar testimonio de su amor, aunque ello no le sirve de alivio.
— *Verso 11:* El amor es estar «desterrado», fuera de sí, enajenado.
— *Versos 12-14:* Las razones no valen ante el amor. En el verso 14 se juega con dos sentidos de *yerro* = «error» y «hierro» (el amor es como una cadena que tiene preso al enamorado).

75

El que fuere dichoso será amado,
y yo en amor no quiero ser dichoso,
teniendo, de mi mal propio envidioso,
a dicha ser por vos tan desdichado.

5 Sólo es servir servir sin ser premiado;
cerca está de grosero el venturoso;
seguir el bien a todos es forzoso:
yo sólo sigo el mal sin ser forzado;

no he menester ventura por amaros;
10 amo de vos lo que de vos entiendo[2],
no lo que espero, porque nada espero;

llevóme el conoceros a adoraros;
servir mas por servir sólo pretendo:
de vos no quiero más que lo que os quiero▾.

[2] Lo que mi espíritu sabe de vos.

▾ Purísima expresión de amor cortés. Como en el anterior soneto, el poeta se complace en su dolor (nótese la paradoja de los versos 3-4: «tengo a dicha ser desdichado por vos»). Los versos 5-6 se basan en una idea central del amor cortés: como transposición de las relaciones feudales, el poeta se considera siervo de la dama, pero no espera recompensa. Y esa idea de amar por amar, de una adoración sin esperanza, se desarrolla en los tercetos, con un bellísimo verso final.

76

Ando tan altamente que no alcanza
al sujeto[3] la vista, sólo verse
puede por fe, y por fe comprehenderse[4]
aquella excelsa luz[5] sin semejanza.

Ni un átomo de sombra de esperanza 5
a mi suerte jamás puede atreverse,
antes llegó mi amor a prometerse
en vivo fuego bienaventuranza.

Que sólo lo inmortal respeta y ama,
nunca por lo posible se enajena, 10
como no aspira a causa transitoria;

antes[6], si en la pureza de la llama
es la gloria lo acerbo[7] de la pena,
no ha de poder faltarme en pena gloria▼.

[3] Persona amada, objeto de amor.

[4] Comprenderse, captarse.

[5] La amada.

[6] Al contrario.

[7] Amargo, cruel.

▼ Sigue este soneto en la misma línea que los anteriores: coméntense los elementos comunes. En los versos 1-4, se observará una hipérbole sobre la «altura» de su amor que se acerca a expresiones platónicas y místicas (relaciónese también con el «endiosamiento de la amada»). Y en el primer terceto se verá la proclamación de sus anhelos espirituales y eternos. A la vez, nótense las contradicciones que encierran los versos 7-8 y 12-14.

77

Llegar, ver y entregarme ha sido junto,
la deuda general pagada os tengo,
y a ser de vos injustamente vengo,
condenado sin culpa en sólo un punto[8].

5 Padezco el mal, la causa no barrunto,
que yo sin esperanza me entretengo,
y sólo de adoraros me mantengo,
vivo al servir y al merecer difunto.

Quien sabe tanto y claramente entiende
10 que esperar algo es yerro sin disculpa,
con la intención no puede haber errado.

Miro, y no hallo en mí de qué me enmiende;
mas, si desdichas las tenéis por culpa,
¿cómo estará sin ella un desdichado▼?

[8] En un instante.

▼ En el primer cuarteto se indica lo súbito del enamoramiento con una imagen guerrera que recuerda el «llegué, vi y vencí» de César, pero al revés: el poeta, vencido y condenado, ha pasado a ser prisionero de la dama. Por lo demás, este soneto incide en temas vistos en los anteriores: comparando los cuatro sonetos, dígase, en resumen, con qué rasgos se presenta en ellos la experiencia amorosa.

78

Silencio, en tu sepulcro deposito
ronca voz, pluma ciega y triste mano,
para que mi dolor no cante en vano,
al viento dado ya, en la arena escrito.

Tumba y muerte de olvido solicito, 5
aunque de avisos más que de años cano,
donde hoy[9] más que a la razón me allano,
y al tiempo le daré cuanto me quito.

Limitaré deseos y esperanzas,
y en el orbe de un claro desengaño 10
márgenes pondré breves a mi vida,

para que no me venzan asechanzas
de quien intenta procurar mi daño
y ocasionó tan próvida[10] huida▼.

[9] No debe hacerse sinalefa entre estas dos palabras.

[10] Diligente, precavida.

▼ Este soneto, como el siguiente, forma parte del llamado «Cancionero del desengaño» (Rozas), escrito en general en su último destierro. Hay, en efecto, en estos versos, impresionantes expresiones de desengaño, que culminan en el primer terceto (con ideas de renuncia y apartamiento acaso susceptibles de varias interpretaciones: discútase). El terceto final puede aludir a un amor que causó sus males, su destierro.

79

Debe tan poco al tiempo el que ha nacido
en la estéril región de nuestros años,
que, premiada la culpa y los engaños,
el mérito se encoge escarnecido.

5 Ser un inútil anhelar perdido,
y natural remedio a los extraños;
avisar las ofensas con los daños,
y haber de agradecer el ofendido.

Máquina[11] de ambición, aplausos de ira,
10 donde sólo es verdad el justo miedo
del que percibe el daño y se retira.

Violenta adulación, mañoso enredo
en fe violada han puesto a la mentira
fuerza de ley y sombra de denuedo▼.

[11] Traza, proyecto.

▼ Descubre este soneto, de modo estremecedor, las raíces históricas del desengaño del poeta: véase el terrible juicio sobre su tiempo que encierran los primeros versos. Luego (verso 5) hay una sobrecogedora definición del vivir humano (extrañamente vecina a la frase del filósofo Sartre: «El hombre es una pasión inútil»). Los tercetos cobran alcance moral (sentido de los versos 12-14: «La adulación y el enredo —violando la confianza— han hecho que la mentira adquiera fuerza de ley y apariencia de valor»).

SOR JUANA INÉS DE LA CRUZ

Personalidad

En San Miguel de Nepantla (Méjico) nació, hacia 1650, Juana de Asbaje. Pronto asombraría por su precocidad: cuando aún es una niña, exige «ir a la universidad» —cosa insólita entonces en una mujer— y escribe poemas desde los ocho años, al menos. Y por su cuenta va adquiriendo una inmensa cultura. A los quince años es dama e íntima amiga de la virreina, y su inteligencia y su ingenio brillan en el ambiente cortesano. Hacia los dieciocho años, confesando una «total negación para el matrimonio», se hace monja. Quiere así garantizar su independencia; mantiene sus relaciones cortesanas e intelectuales, y sigue entregada a su gran pasión: el estudio, el saber, la poesía. Pero en la época no se admiten fácilmente tales pretensiones en una mujer. Y se le censura. Juana se defiende admirablemente de los reproches de sus superiores. Y no ceja en su empeño, aún contra corriente. Llega a reunir una importante biblioteca. Pero, hacia sus cuarenta años, vende sus libros y reparte el dinero entre los pobres. Poco después, en 1695, muere víctima de una epidemia, tras dar pruebas de abnegación en el cuidado de los enfermos.

Lo que asombra en la personalidad de Sor Juana, si nos situamos en su tiempo, es ante todo su convencimiento de la dignidad de la condición femenina y su disconformidad ante las limitaciones que se imponían a las mujeres. Y ello va estrechamente unido a su sed de cultura, entendida como un camino para acceder a una plena posesión de sí misma, a un máximo desarrollo de su persona, de su dignidad.

Obra

Su producción es abundante e incluye algunos escritos en prosa y varias obras dramáticas. Su poesía es muy variada y presenta problemas, pues a menudo dudamos si determinadas composiciones responden a experiencias personales o si son puros ejercicios literarios. Así sucede, por supuesto, con sus abundantes poesías amorosas: a veces son una sublimación de amistades, otras podrían interpretarse como un desahogo de carencias afectivas, y en muchos casos son, efectivamente, meros jugueteos, a veces atrevidos y deliciosos.

De una absoluta autenticidad son, en cambio, los poemas en que manifiesta su actitud «feminista» (véase el famoso «Hombres necios que acusáis», **80**), o aquellos en que proclama su independencia intelectual (**82**), o en que comunica lo más íntimo de sus vivencias espirituales (**81**), aunque —curiosamente— no brilló demasiado en la poesía religiosa.

Aparte de estas facetas, su obra más ambiciosa fue el *Primer sueño,* largo poema culterano en que quiso expresar el misterio del mundo y del hombre. Es un trabajo admirable, complejísimo, con el que se propuso superar a Góngora no sólo en audacia formal, sino en lo elevado del tema. Por su dificultad, no por su valor, estará ausente de una antología como ésta.

Significación

Muchas son las razones por las que resulta admirable la figura de Sor Juana. Entre las que habrán quedado patentes, destaquemos el virtuosismo con que supo llevar hasta el extremo los diversos aspectos formales de la poesía barroca (conceptistas o culteranos), como si hubiera lanzado un audaz desafío a sus modelos. (No olvidemos que algo semejante sucede, en Méjico, con las artes plásticas.) En suma, es Sor Juana una figura señera del Barroco tardío. Y desde muy pronto mereció ser llamada la «Décima Musa».

80

ARGUYE DE INCONSECUENTES EL GUSTO Y LA CENSURA DE LOS HOMBRES QUE EN LAS MUJERES ACUSAN LO QUE CAUSAN.

Hombres necios que acusáis
a la mujer sin razón,
sin ver que sois la ocasión
de lo mismo que culpáis:
5 si con ansia sin igual
solicitáis su desdén[1],
¿por qué queréis que obren bien
si las incitáis al mal?
Combatís su resistencia
10 y luego, con gravedad,
decís que fue liviandad
lo que hizo la diligencia.
Parecer[2] quiere el denuedo
de vuestro parecer loco,
15 al niño que pone el coco
y luego le tiene miedo.
Queréis, con presunción necia,
hallar a la que buscáis,
para pretendida, Thais[3],
20 y en la posesión, Lucrecia[4].
¿Qué humor puede ser más raro
que el que, falto de consejo,
él mismo empaña el espejo,
y siente que no esté claro?
25 Con el favor y el desdén
tenéis condición igual,
quejándoos, si os tratan mal,
burlándoos, si os tratan bien.

[1] Pretendéis vencer su desdén, su recato.

[2] Parecerse (al niño que...).

[3] Famosa cortesana griega.

[4] Dama romana, modelo de honestidad.

Opinión, ninguna gana;
pues la que más se recata, 30
si no os admite, es ingrata,
y si os admite, es liviana.
Siempre tan necios andáis
que, con desigual nivel,
a una culpáis por cruel 35
y a otra por fácil culpáis.

¿Pues cómo ha de estar templada[5]
la que vuestro amor pretende,
si la que es ingrata, ofende,
40 y la que es fácil, enfada?
Mas, entre el enfado y pena
que vuestro gusto refiere,
bien haya la que no os quiere
y quejaos en hora buena.
45 Dan vuestras amantes penas
a sus libertades alas,
y después de hacerlas malas
las queréis hallar muy buenas.
¿Cuál mayor culpa ha tenido
50 en una pasión errada:
la que cae de rogada,
o el que ruega de caído?
¿O cuál es más de culpar,
aunque cualquiera mal haga:
55 la que peca por la paga,
o el que paga por pecar?
Pues ¿para qué os espantáis
de la culpa que tenéis?
Queredlas cual las hacéis
60 o hacedlas cual las buscáis.
Dejad de solicitar,
y después, con más razón,
acusaréis la afición
de la que os fuere a rogar.
65 Bien con muchas armas fundo
que lidia vuestra arrogancia,
pues en promesa e instancia
juntáis diablo, carne y mundo[6]▼.

[5] ¿Qué temple ha de tener, cómo ha de ser...?

[6] En esos empeños amorosos, se juntan los tres «enemigos del alma».

▼ Estas famosísimas redondillas constituyen una pieza maestra de la literatura «feminista». Véase la postura moral y, a la vez, inconformista de la autora.

81

EN QUE EXPRESA LOS EFECTOS DEL AMOR DIVINO, Y PROPONE MORIR AMANTE, A PESAR DE TODO RIESGO.

Traigo conmigo un cuidado,
y tan esquivo, que creo
que, aunque sé sentirlo tanto,
aun yo misma no lo siento.
Es amor; pero es amor 5
que, faltándole lo ciego,
los ojos que tiene, son
para darle más tormento.
El término no es *a quo*[7].
que causa el pesar que veo: 10
que siendo el término[8] el Bien
todo el dolor es el medio[9].
Si es lícito, y aun debido
este cariño que tengo,
¿por qué me han de dar castigo 15
porque pago lo que debo?
¡Oh cuánta fineza[10], oh cuántos
cariños he visto tiernos!
Que amor que se tiene en Dios,
es calidad sin opuestos. 20
De lo lícito no puede
hacer contrarios conceptos,
conque es amor que al olvido
no puede vivir expuesto.
Yo me acuerdo, ¡oh nunca fuera[11]!, 25
que he querido en otro tiempo,
lo que pasó de locura
y lo que excedió de extremo;

[7] Punto de partida, origen.

[8] Punto de llegada, meta.

[9] El dolor está entre el origen y la meta del amor.

[10] Muestras de amor.

[11] Recuerda un amor juvenil, muy distinto de su actual amor a Dios.

mas como era amor bastardo,
30 y de contrarios compuesto,
fue fácil desvanecerse
de achaque de su ser mesmo[12].

Mas ahora, ¡ay de mí!, está
tan en su natural centro,
35 que la virtud y razón
son quien aviva su incendio.

Quien tal oyere, dirá
que, si es así, ¿por qué peno?
Mas mi corazón ansioso
40 dirá que por eso mesmo[13].

¡Oh humana flaqueza nuestra,
adonde el más puro afecto
aun no sabe desnudarse
del natural sentimiento!

45 Tan precisa es la apetencia
que a ser amados tenemos,
que, aun sabiendo que no sirve,
nunca dejarla sabemos.

Que corresponda a mi amor,
50 nada añade; mas no puedo,
por más que lo solicito,
dejar yo de apetecerlo.

Si es delito, ya lo digo;
si es culpa, ya la confieso;
55 mas no puedo arrepentirme,
por más que hacerlo pretendo.

Bien ha visto, quien penetra
lo interior de mis secretos,
que yo misma estoy formando
60 los dolores que padezco.

Bien sabe que soy yo misma
verdugo de mis deseos,
pues muertos entre mis ansias,
tienen sepulcro en mi pecho.

[12] A causa de su propia condición.

[13] Por el ansia de alcanzar a Dios.

Muero, ¿quién lo creerá?, a manos 65
de la cosa que más quiero,
y el motivo de matarme
es el amor que le tengo.
Así alimentando, triste,
la vida con el veneno, 70
la misma muerte que vivo,
es la vida con que muero.
Pero valor, corazón:
porque en tan dulce tormento,
en medio de cualquier suerte 75
no dejar de amar protesto[14]▼.

[14] Prometo.

▼ Curiosamente, los poemas religiosos no son lo más destacado de Sor Juana; pero este romance ha sido muy comentado. En él vuelca su amor a Dios imitando expresiones y conceptos bien conocidos de la poesía amorosa: el dolor de amar por el ansia de alcanzar la meta del deseo, el dolor de la ausencia, etc. En los versos 41-56, dice que el amor a Dios debería ser desinteresado, pero proclama su humano anhelo de ser correspondida, de recibir el «premio» de su amor (algo distinto de lo que puede verse en el soneto «No me mueve, mi Dios, para quererte»: cfr. **94**). El final recordará el «que muero porque no muero», glosado por Santa Teresa.

82

QUÉJASE DE LA SUERTE: INSINÚA SU AVERSIÓN A LOS VICIOS, Y JUSTIFICA SU DIVERTIMIENTO A LAS MUSAS

En perseguirme, mundo, ¿qué interesas?
¿En qué te ofendo, cuando sólo intento
poner bellezas en mi entendimiento
y no mi entendimiento en las bellezas?

5 Yo no estimo tesoros ni riquezas;
y así, siempre me causa más contento
poner riquezas en mi pensamiento
que no mi pensamiento en las riquezas.

Y no estimo hermosura que, vencida,
10 es despojo civil de las edades,
ni riqueza me agrada fementida[15],

teniendo por mejor, en mis verdades,
consumir vanidades de la vida
que consumir la vida en vanidades▼.

[15] Engañosa.

▼ Como es sabido, Sor Juana recibió ataques por sus inquietudes intelectuales y literarias. Aquí se defiende, declarando legítima la búsqueda de bellezas y riquezas espirituales (cuartetos), a la vez que proclama su despego de bellezas y riquezas materiales y perecederas (tercetos). Obsérvese la facilidad, el virtuosismo de la poetisa en el juego de antítesis y construcciones simétricas. (Los versos 3-4, 7-8 y 13-14 son espléndidos ejemplos de la figura llamada *conmutación* o *retruécano.)*

83

Afuera, afuera, ansias mías;
no el respeto os embarace[16]:
que es lisonja[17] de la pena
perder el miedo a los males.

Salga el dolor a las voces 5
si quiere mostrar lo grande,
y acredite lo insufrible
con no poder ocultarse.

Salgan signos a la boca
de lo que el corazón arde, 10
que nadie creerá el incendio
si el humo no da señales.

No a impedir el grito sea
el miramiento bastante[18];
que no es muy valiente el preso 15
que no quebranta la cárcel.

El que su cuidado estima,
sus sentimientos no calle;
que es agravio del motivo
no hacer del dolor alarde. 20

Mayor es que yo mi pena;
y esto supuesto, más fácil
será que ella a mí me venza,
que no que yo en ella mande▾.

[16] Que el pudor no os impida salir fuera.

[17] Privilegio.

[18] Que el miramiento no logre impedir el grito.

▾ Este otro celebrado romance se suele situar entre la poesía amorosa de Sor Juana. Ello es, sin duda, acertado; pero, en todo caso, obsérvese cómo las «ansias», la «pena», el «dolor», el «cuidado», adquieren aquí una intensa presencia, independiente de las circunstancias que han motivado el sentimiento. Se trata, pues, de una expresión purísima —y de amplio alcance— de un dolorido sentir.

84

Al que ingrato me deja, busco amante;
al que amante me sigue, dejo ingrata;
constante adoro a quien mi amor maltrata,
maltrato a quien mi amor busca constante.
5 Al que trato de amor, hallo diamante,
y soy diamante al que de amor me trata;
triunfante quiero ver al que me mata,
y mato al que me quiere ver triunfante.
Si a éste pago[19], padece mi deseo;
10 si ruego a aquél, mi pundonor[20] enojo:
de entrambos modos infeliz me veo.
Pero yo, por mejor partido, escojo
de quien no quiero, ser violento empleo,
que, de quien no me quiere, vil despojo[21]▼.

[19] Satisfago, correspondo.

[20] Dignidad.

[21] Botín, presa.

▼ Cultiva Sor Juana, en este soneto perfecto, el gusto barroco por las contradicciones. Es, sin duda, un puro juego poético basado en una figura estilística que ya hemos visto en el poema **82** (¿cuál es?). En conjunto, una delicia.

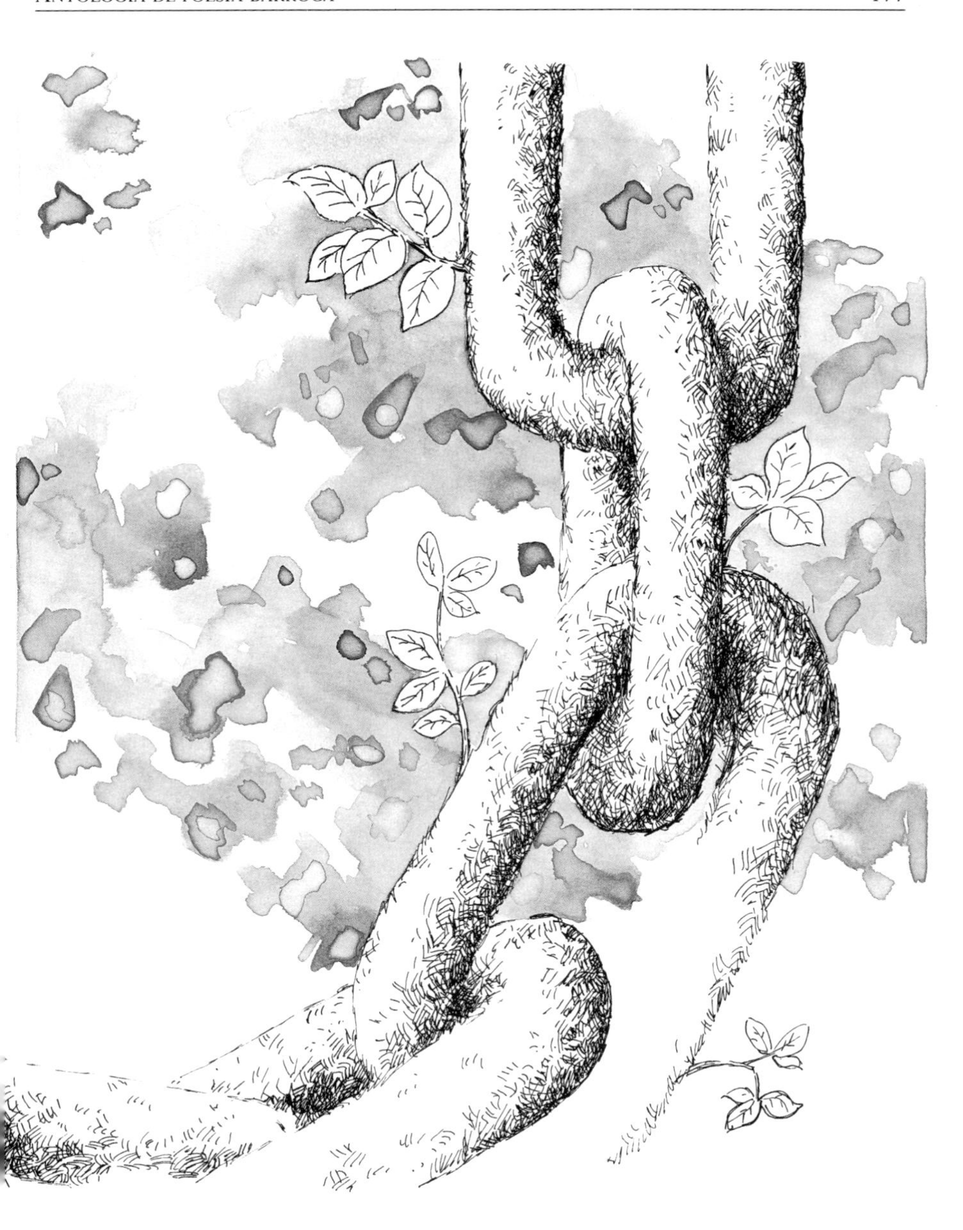

85

DA MEDIO PARA AMAR SIN MUCHA PENA

Yo no puedo tenerte ni dejarte,
ni sé por qué, al dejarte o al tenerte,
se encuentra un no sé qué para quererte
y muchos sí sé qué para olvidarte.

5 Pues ni quieres dejarme ni enmendarte,
yo templaré[22] mi corazón de suerte
que la mitad se incline a aborrecerte
aunque la otra mitad se incline a amarte.

Si ello es fuerza querernos, haya modo[23],
10 que es morir el estar siempre riñendo:
no se hable más en celo y en sospecha,

y quien da la mitad, no quiera el todo;
y cuando me la estás allá haciendo[24]
sabe que estoy haciendo la deshecha[25]▼.

[22] Dispondré, prepararé (o «daré tal temple»).

[23] Que haya manera (de entendernos).

[24] Me estás haciendo una mala pasada (me estás siendo infiel).

[25] Yo estoy disimulando.

▼ ¿Otro juego poético? El hecho es que en este soneto se mezcla algún tópico de la poesía amorosa barroca (siempre la contradicción...) con una actitud muy original: repárese en el título y en las expresiones que indican un no querer sufrir. Por debajo de estos versos late la dignidad de la mujer ante la actitud veleidosa de un hombre.

JOSÉ DE VALDIVIELSO (1560?-1638)

Nacido en Toledo, era sacerdote y muy amigo y admirador de Lope. Aparte varios autos sacramentales y un extenso poema sobre *San José,* publicó un *Romancero espiritual* (1612) en el que destacan, por su frescura y candor, ciertos romances, letrillas y villancicos glosados. Como Lope (recuérdense los núms. **28** y **38-46**) se inspira con frecuencia en cantarcillos populares, que vuelve «a lo divino», como en la muestra que recogemos.

86

LETRA AL NIÑO JESÚS

Entra mayo y sale abril;
¡cuán garridico[1] me le vi venir!
Hízose mayo encarnado
el Niño Jesús que adoro,
5 y entre el pelo rizo[2] de oro,
de hermosas flores cercado.
Como un mayo enamorado,
al alma viene a servir;
¡cuán garridico me le vi venir!
10 Hecho ya un florido mayo,
por si su Esposa[3] despierta,
quiere plantarse a su puerta
por dar vida a su desmayo;
estrecho le venia[4] el sayo,
15 y en Belén se le hizo abrir[5];
¡cuán garridico me le vi venir!
Por servir a sus amores
ciñe sus sienes hermosas
de jazmines y de rosas,
20 que son de su amor colores;
mas, ¡ay Dios!, que tras las flores,
espinas le han de salir:
¡cuán garridico me le vi venir !
Entra mayo y sale abril;
25 *¡cuán garridico me le vi venir*▼*!*

[1] Hermoso, elegante.

[2] Rizado (adj.).

[3] El alma.

[4] Pronúnciese bisílaba (por sinéresis).

[5] Estaba desnudo en el pesebre.

▼ Se trata, como se ve, de una deliciosa *maya* «a lo divino». He aquí el posible modelo popular, del siglo XV o XVI: «Entra mayo y sale abril, / tan garridico le vi venir. // Entra mayo con sus flores, / sale abril con sus amores, / y los dulces amadores / comienzan a bien servir».

LUPERCIO LEONARDO DE ARGENSOLA (1559-1613)

Los hermanos Leonardo de Argensola (Leonardo es apellido) encabezan la «escuela aragonesa». Ambos se mantienen al margen de las innovaciones culteranas y cultivan una sobriedad clásica cuyo modelo es Horacio. Lupercio, el mayor, se caracteriza por su orientación moral de ascendencia estoica. Merecen destacarse algunos poemas amorosos neoplatónicos, así como la presencia del desengaño barroco —compatible con el clasicismo formal—. Tales son los aspectos que se dan cita en el soneto siguiente.

87

Dentro quiero vivir de mi fortuna
y huir los grandes nombres que derrama
con estatuas y títulos la Fama
por el cóncavo cerco de la luna.

5 Si con ellos no tengo cosa alguna
común de las que el vulgo sigue y ama,
bástame ver común la postrer cama,
del modo que lo fue la primer cuna.

Y entre estos dos umbrales de la vida,
10 distantes un espacio tan estrecho,
que en la entrada comienza la salida,

¿qué más aplauso quiero, o más provecho,
que ver mi fe de Filis admitida
y estar yo de la suya satisfecho▼?

▼ Sólo el terceto final se refiere al amor, un amor que es el único consuelo de esta vida. Dominan en el poema las preocupaciones morales: en los primeros versos, el ideal de la vida retirada (Horacio) y el menosprecio de las glorias mundanas (estoicismo); en los versos 7-11, la brevedad de la vida, la vecindad de «la cuna y la sepultura». (¿Qué poemas de Quevedo expresaban conceptos semejantes?)

BARTOLOMÉ LEONARDO DE ARGENSOLA (1561-1631)

Nació en Barbastro, como su hermano, fue sacerdote y ocupó diversos cargos cortesanos. Comparte con Lupercio los gustos por el clasicismo, la sobriedad, la forma equilibrada; pero es más variado: por ejemplo, está más dotado para la sátira. En cualquier caso, su poema más citado —y que aquí reproducimos— es de tipo moral y constituye un patético interrogante sobre por qué permite Dios las injusticias y los sufrimientos inmerecidos.

88

«Dime, Padre común, pues eres justo,
¿por qué ha de permitir tu providencia,
que, arrastrando prisiones la inocencia,
suba la fraude a tribunal augusto?

5 »¿Quién da fuerzas al brazo, que robusto
hace a tus leyes firme resistencia,
y que el celo, que más la reverencia[6],
gima a los pies del vencedor injusto?

»Vemos que vibran vitoriosas palmas
10 manos inicuas, la virtud gimiendo
del triunfo en el injusto regocijo.»

Esto decía yo, cuando, riendo,
celestial ninfa apareció, y me dijo:
«¡Ciego!, ¿es la tierra el centro de las almas?»

[6] El pron. *la* se refiere a la ley divina.

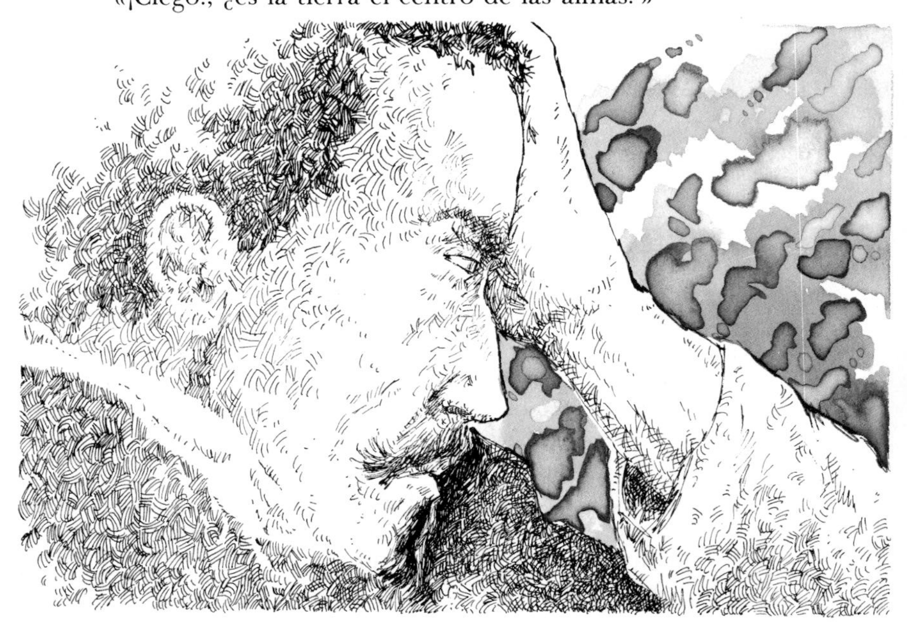

DE UNO DE LOS ARGENSOLAS

89

Yo os quiero confesar, don Juan, primero:
que aquel blanco y color de doña Elvira
no tiene de ella más, si bien se mira,
que el haberle costado su dinero.

Pero, tras eso, confesaros quiero 5
que es tanta la beldad de su mentira,
que en vano a competir con ella aspira
belleza igual de rostro verdadero.

Mas, ¿qué mucho[7] que yo perdido ande
por un engaño tal, pues que sabemos 10
que nos engaña así Naturaleza?

Porque ese cielo azul que todos vemos
ni es cielo ni es azul. ¡Lástima grande
que no sea verdad tanta belleza▼!

[7] ¿Qué tiene de extraño?

▼ Este espléndido soneto —no sabemos si de Lupercio o de Bartolomé— es considerado justamente como una de las más hermosas expresiones del desengaño barroco. Proponemos a continuación un comentario de texto.

COMENTARIO 4 (Soneto 89)

- *Enuncia el tema central del soneto, situándolo dentro de las preocupaciones que aparecen en la poesía de la época. ¿Qué otras manifestaciones del mismo tema podrían recordarse? (Piénsese en Quevedo o en Calderón, por ejemplo.)*

- *La originalidad del poema radica fundamentalmente en el tono: ¿Con qué tono empieza? ¿Qué cambio se va operando estrofa a estrofa? (Se precisará en las cuestiones siguientes.)*

- *Comienza el soneto como una conversación entre amigos, como una confidencia: ¿En qué se manifiesta?*

- *El segundo cuarteto se opone parcialmente al anterior: ¿En qué sentido? Señálese, además, una expresiva antítesis en el verso 6 (que encuentra un eco en el 8).*

- *La idea de «engaño» cobra en el primer terceto mayores dimensiones: muéstrese.*

- *El terceto final es un impresionante remate: valórese la imagen escogida por el autor para hacer gráfico el divorcio entre* apariencia *y* realidad; *señálese, en fin, la carga emotiva de la exclamación, en donde se reitera una antítesis ya vista.*

- *Conclusión: la idea barroca del* desengaño *en este soneto.*

CONDE DE SALINAS (1564-1630)

Se llamaba Diego de Silva y Mendoza. Nació en Madrid, pero era oriundo de Portugal, donde vivió y desempeñó altos cargos, hasta llegar a virrey (recuérdese que Portugal perteneció a España de 1580 a 1668). He aquí a uno de esos «poetas menores» —de la línea petrarquista— que nos reservan sorpresas deliciosas. Júzguese por este soneto.

90

Una, dos, tres estrellas, veinte, ciento,
mil, un millón, millares de millares...
¡Válgame Dios, que tienen mis pesares
su retrato en el alto firmamento!

5 Tú, Norte, siempre firme en un asiento,
a mi fe será bien que te compares;
tú, Bocina[8], con vueltas circulares,
y todas a un nivel, con mi tormento.

Las estrellas errantes son mis dichas,
10 las siempre fijas son los males míos,
los luceros los ojos que yo adoro,

las nubes, en su efecto, mis desdichas,
que lloviendo, crecer hacen los ríos,
como yo con las lágrimas que lloro.

[8] La Osa Menor, que gira en torno a la Estrella Polar (Norte).

FRANCISCO DE MEDRANO (1570-1607)

Nació en Sevilla, estudió en Salamanca y vivió los ambientes poéticos de ambas ciudades. También está a caballo entre Renacimiento y Barroco: por su temprana muerte, se le ha situado a menudo en el siglo XVI. Su obra es breve: 54 sonetos, 34 odas y algunos otros poemas. La influencia clásica de Horacio es especialmente sensible en él, combinada con una orientación moral. Rasgo muy destacable de Medrano es el tono auténtico y, a veces, apasionado. Sobresalen sus sonetos amorosos (petrarquistas) y espirituales; en ocasiones es difícil trazar la frontera entre unos y otros (recuérdese que, para el platonismo, la belleza y el amor humanos son un trasunto de la belleza y el amor divinos, o una «escala» para elevarse hacia Dios). Léase, como muestra, este bellísimo soneto que —según Dámaso Alonso— «se puede entender lo mismo en sentido amoroso humano que en el de la belleza divina»; en él, la anécdota queda reducida al mínimo, y queda una pura experiencia interior, una aventura íntima, envuelta en misterio y expresada con una emoción balbuciente.

91

No sé cómo, ni cúando, ni qué cosa
sentí, que me llenaba de dulzura:
sé que llegó a mis brazos la hermosura,
de gozarse conmigo codiciosa.

5 Sé que llegó, si bien, con temerosa
vista, resistí apenas su figura:
luego pasmé[9], como el que en noche oscura,
perdido el tino, el pie mover no osa.

Siguió un gran gozo a aqueste pasmo, o sueño
10 —no sé cuándo, ni cómo, ni qué ha sido—
que lo sensible todo puso en calma.

Ignorarlo es saber; que es bien pequeño
el que puede abarcar solo el sentido,
y éste pudo caber en sola el alma.

[9] Me quedé helado, paralizado o sin sentido.

RODRIGO CARO (1573-1647)

Nació en Utrera, estudió en Sevilla, donde se ordenó sacerdote. Su verdadera pasión fue la Historia, la Arqueología; apenas escribió versos, pero si se le recuerda, es por la *Canción a las ruinas de Itálica,* que brotó de aquella pasión suya. Se trata, sin duda, de una pieza maestra en su género. Evoca lo que queda de aquella ciudad romana —cercana a Sevilla—, los restos de sus murallas y edificios, comparando su ruina con las de Troya, Atenas o Roma. «¿Dónde está...?», repite (usando el recurso retórico del *Ubi sunt?*). Por debajo del tema tan barroco (y tan romántico) de las ruinas, late el sentimiento de la fugacidad e inconsistencia de lo terreno. En conjunto, esta poesía —que hoy llamaríamos «culturalista»— es de una notable perfección que puede resultar fría; con todo, contiene versos muy bellos en los que la emoción se condensa (invitamos a subrayarlos).

92

CANCIÓN A LAS RUINAS DE ITÁLICA

Estos, Fabio, ¡ay dolor!, que ves ahora
campos de soledad, mustio collado,
fueron un tiempo Itálica famosa.
Aquí de Cipïón[10] la vencedora
5 colonia fue. Por tierra derribado
yace el temido honor de la espantosa
muralla, y lastimosa
reliquia es solamente.
De su invencible gente
10 sólo quedan memorias funerales,
donde erraron ya sombras de alto ejemplo.
Este llano fue plaza; allí fue templo;
de todo apenas quedan las señales.
Del gimnasio y las termas regaladas
15 leves vuelan cenizas desdichadas;
las torres que desprecio al aire fueron
a su gran pesadumbre se rindieron.

Este despedazado anfiteatro,
ímpio[11] honor de los dioses, cuya afrenta
20 publica el amarillo jaramago,
ya reducido a trágico teatro,
¡oh fábula del tiempo!, representa
cuánta fue su grandeza y es su estrago.
¿Cómo en el cerco vago
25 de su desierta arena
el gran pueblo no suena?
¿Dónde, pues fieras hay, está el desnudo
luchador? ¿Dónde está el atleta fuerte?
Todo desapareció: cambió la suerte
30 voces alegres en silencio mudo;
mas aun el tiempo da en estos despojos

[10] Escipión el Africano, fundador de Itálica.

[11] Léase bisílaba y con acento en la primera *i* (licencia poética).

espectáculos fieros a los ojos,
y miran tan confusos lo presente,
que voces de dolor el alma siente.

Aquí nació aquel rayo de la guerra, 35
gran padre de la patria, honor de España,
pío, felice, triunfador Trajano,
ante quien muda se postró la tierra
que ve del sol la cuna, y la que baña
el mar también vencido gaditano. 40
Aquí de Elio Adrïano[12],
de Teodosio divino[13],
de Silio[14] peregrino
rodaron de marfil y oro las cunas.
Aquí ya de laurel, ya de jazmines 45
coronados los vieron los jardines
que ahora son zarzales y lagunas.
La casa para el César fabricada,
¡ay!, yace de lagartos vil morada.
Casas, jardines, césares murieron, 50
y aun las piedras que de ellos se escribieron[15].

Fabio, si tú no lloras, pon atenta
la vista en luengas calles destruidas,
mira mármoles y arcos destrozados,
mira estatuas soberbias, que violenta 55
Némesis[16] derribó, yacer tendidas,
y ya en alto silencio sepultados
sus dueños celebrados.
Así a Troya figuro[17],
así a su antiguo muro, 60
y a ti, Roma, a quien queda el nombre apenas,
¡oh patria de los dioses y los reyes!
Y a ti, a quien no valieron justas leyes,
fábrica de Minerva[18] sabia Atenas,
emulación ayer de las edades, 65
hoy cenizas, hoy vastas soledades:
que no os respetó el hado, no la muerte,
¡ay!, ni por sabia a ti, ni a ti por fuerte.

[12] Padre del emperador Adriano.

[13] El emperador Teodosio (no es seguro que fuera de Itálica).

[14] Silio Itálico, poeta.

[15] Las lápidas con sus nombres y alabanzas.

[16] Diosa de la venganza.

[17] Me imagino.

[18] Diosa de la sabiduría (en Grecia, Atenea).

Mas, ¿para qué la mente se derrama
70 en buscar al dolor nuevo argumento?
Basta ejemplo menor, basta el presente[19]:
que aun se ve el humo aquí, aun se ve la llama,
aun se oyen llantos hoy, hoy ronco acento.
Tal genio o religión fuerza la mente
75 de la vecina gente
que refiere admirada
que en la noche callada
una voz triste se oye que llorando
«Cayó Itálica», dice; y lastimosa
80 Eco[20] reclama «Itálica» en la hojosa
selva que se le opone, resonando
«Itálica», y el caro nombre oído
de Itálica, renuevan el gemido
mil sombras nobles en su gran rüina.
85 ¡Tanto aun la plebe a sentimiento inclina!

Esta corta piedad que, agradecido
huésped, a tus sagrados manes[21] debo,
les dó y consagro, Itálica famosa.
Tú (si lloroso don han admitido
90 las ingratas cenizas de que llevo
dulce noticia asaz, si[22] lastimosa)
permíteme, piadosa
usura a tierno llanto,
que vea el cuerpo santo
95 de Geroncio[23], tu mártir y prelado.
Muestra de su sepulcro algunas señas
y cavaré con lágrimas las peñas
que ocultan su sarcófago sagrado.
Pero mal pido el único consuelo
100 de todo el bien que airado quitó el cielo.
¡Goza en las tuyas sus reliquias bellas
para invidia del mundo y las estrellas!

[19] Vuelve a fijarse en Itálica, «presente» ante sus ojos.

[20] La ninfa Eco, convertida en roca que hace «eco» a las voces.

[21] Las almas de los muertos.

[22] Aunque.

[23] San Geroncio, obispo de Itálica.

ANDRÉS FERNÁNDEZ DE ANDRADA
(Hacia 1575-1648)

Curiosamente, es poco lo que sabemos de este autor: que fue capitán, que se movió en el ambiente poético sevillano, donde fue admirado, y que marchó a Méjico, donde murió, pobre, tras desempeñar modestos cargos. De él sólo conservamos —aparte un fragmento de otro poema— esta larga *Epístola moral* dirigida a un amigo que buscaba cargos en la Corte. Y sólo por esta composición ocupa un puesto de honor en las letras españolas: nos hallamos ante una eminente cumbre de la poesía moral.

Los fragmentos que reproducimos —equivalentes a la mitad del total— bastarán para observar con qué densidad va hilvanando el poeta profundas ideas: el «menosprecio de Corte» y el ideal de la «vida retirada»; la consideración de la brevedad y la caducidad de la vida; el elogio de la virtud, de la austeridad (ideal horaciano de la *aurea mediocritas* o «dorada medianía»); la preparación para la buena muerte... Se trata —por supuesto— de temas que proceden de la Biblia, de los clásicos, de la filosofía estoica y cristiana y que hemos encontrado en otros poetas barrocos.

¿Cuál es entonces la originalidad de esta *Epístola*? ¿Dónde está su mérito? Sin duda, en su tono, en su expresión. Nótese, ante todo, el equilibrio entre la gravedad y la naturalidad: la hondura de los pensamientos se hace compatible con un tono casi conversacional (de conversación culta), a lo que contribuye una notabilísima fluidez en la versificación. Por otra parte, el poeta alterna sabiamente las frases enunciativas, interrogativas y exclamativas, con lo que logra no sólo variedad, sino eficaces modulaciones emotivas. Pero, por encima de todo, hay que admirar —subrayar, paladear— tantos versos bellísimos... (Véase el fragmento cuyo comentario proponemos y subráyense además, entre otros, los versos siguientes: 25-27, 31-39, 70-73, 79-81, 95-96... y el último).

93

EPÍSTOLA MORAL A FABIO

Fabio, las esperanzas cortesanas
prisiones[24] son do el ambicioso muere,
y donde al más activo nacen canas.
El que no las limare o las rompiere,
ni el nombre de varón ha merecido, 5
ni subir al honor que pretendiere.
El ánimo plebeyo y abatido[25]
elija, en sus intentos temeroso,
primero estar suspenso que caído;
que el corazón entero y generoso[26], 10
al caso adverso inclinará la frente,
antes que la rodilla al poderoso.
Más triunfos, más coronas dio al prudente
que supo retirarse, la Fortuna,
que al que esperó obstinada y locamente. 15
Esta invasión terrible e importuna
de contrarios sucesos[27] nos espera
desde el primer sollozo de la cuna.
Dejémosla pasar[28] como a la fiera
corriente del gran Betis, cuando airado 20
dilata hasta los montes su ribera.
Aquel entre los héroes es contado
que el premio mereció, no quien le alcanza
por vanas consecuencias del estado. [...]

Iguala con la vida el pensamiento, 25
y no le pasarás de hoy a mañana[29],
ni aun quizá de un momento a otro momento.
Casi no tienes ni una sombra vana
de nuestra grande Itálica, y ¿esperas?
¡Oh error perpetuo de la suerte humana! [...] 30

[24] Cadenas.

[25] El espíritu vulgar y bajo.

[26] Se opone al verso 7.

[27] Sucesos adversos, contrariedades.

[28] *La* remite a «la invasión» del v. 16.

[29] Haz que tu pensamiento se iguale a la vida (tan breve) y no estarás seguro de vivir aún mañana.

¿Qué es nuestra vida más que un breve día,
do apenas sale el sol, cuando se pierde
en las tinieblas de la noche fría?
¿Qué más que el heno, a la mañana verde,
35 seco a la tarde? ¡Oh ciego desvarío!
¿Será que de este sueño se recuerde[30]?
¿Será que pueda ver que me desvío
de la vida viviendo, y que esté unida
la cauta muerte al simple vivir mío?
40 Como los ríos, que en veloz corrida
se llevan[31] a la mar, tal soy llevado
al último suspiro de mi vida.
De la pasada edad ¿qué me ha quedado?
¿O qué tengo yo, a dicha, en la que espero,
45 sin alguna noticia de mi hado?
¡Oh, si[32] acabase, viendo como muero,
de aprender a morir antes que llegue
aquel forzoso término postrero;
antes que aquesta mies inútil siegue
50 de la severa muerte dura mano,
y a la común materia se la entregue!

[30] Se despierte.

[31] Son llevados (se dirigen).

[32] Expresión de deseo = «¡Ojalá!».

Pasáronse las flores del verano[33],
el otoño pasó con sus racimos,
pasó el invierno con sus nieves cano;
55 las hojas que en las altas selvas vimos
cayeron, ¡y nosotros a porfía
en nuestro engaño inmóviles vivimos▼!
Temamos al Señor, que nos envía
las espigas del año y la hartura,
60 y la temprana lluvia y la tardía.
No imitemos la tierra siempre dura,
a las aguas del cielo y al arado,
ni la vid cuyo fruto no madura. [...]

Quiero, Fabio, seguir a quien me llama,
65 y callado pasar entre la gente,
que no afecto los nombres ni la fama. [...]

¡Mísero aquel que corre y se dilata
por cuantos son los climas y los mares,
perseguidor del oro y de la plata!
70 Un ángulo me basta entre mis lares,
un libro y un amigo, un sueño breve,
que no perturben deudas ni pesares. [...]

No quiera Dios que siga los varones
que moran nuestras plazas, macilentos[34],
75 de la virtud infames histrïones[35];
esos inmundos trágicos[36] y atentos
al aplauso común, cuyas entrañas
son infaustos y oscuros monumentos[37].
¡Cuán callada que pasa las montañas
80 el aura[38], respirando mansamente!
¡Qué gárrula[39] y sonante por las cañas!

[33] *Verano* tiene aquí el sentido antiguo de «primavera».

[34] Flacos y pálidos.

[35] Comediantes, imitadores.

[36] Es sustantivo: actores trágicos.

[37] Lamentables sepulcros.

[38] La brisa.

[39] Ruidosa y vulgar.

▼ El pasaje precedente es, sin duda, el más hondo, bello y famoso del poema. Véase el comentario que luego proponemos.

¡Qué muda la virtud por el prudente!
¡Qué redundante[40] y llena de rüido
por el vano, ambicioso y aparente!
Quiero imitar al pueblo en el vestido, 85
en las costumbres sólo a los mejores,
sin presumir de roto y mal ceñido.
No resplandezca el oro y los colores
en nuestro traje, ni tampoco sea
igual al de los dóricos[41] cantores. 90
Una mediana vida yo posea,
un estilo común y moderado,
que no le note nadie que le vea. [...]

Sin la templanza ¿viste tú perfecta
alguna cosa? ¡Oh muerte!, ven callada 95
como sueles venir en la saeta;
no en la tonante[42] máquina preñada
de fuego y de rumor; que no es mi puerta
de doblados[43] metales fabricada.

Ya, dulce amigo, huyo y me retiro 100
de cuanto simple amé: rompí los lazos.
Ven y verás al grande fin que aspiro,
antes que el tiempo muera en nuestros brazos.

[40] Sobrante e inútil.

[41] Austeros, pobres (cfr. «estilo dórico».)

[42] Que retumba como el trueno.

[43] Reforzados.

COMENTARIO 5 («Epístola moral a Fabio», vv. 40-57)

- *Sitúa estos versos dentro del poema y en el marco de la poesía barroca.*
- *Resume en pocas líneas el contenido del texto y su desarrollo, procurando no olvidar ningún tema esencial. Cita algunos grandes poetas en los que se hallen los mismos temas (sin salirte de los autores recogidos en esta antología).*
- *Ante la fugacidad de la vida, caben varias actitudes ascéticas o vitalistas. ¿Cuál es la actitud del autor? (¿Recuerdas actitudes distintas en poetas de esta antología?)*
- *Comienza el fragmento con una imagen celebérrima: ¿en qué gran poeta medieval se encuentra? ¿Conoces otras manifestaciones de la misma imagen?*
- *Tras la idea de «fugacidad», viene —en el segundo terceto— la de «inconsistencia» de la vida. Coméntese tras aclarar el sentido, un tanto difícil, de los versos 44-45.*
- *En los versos 46-48, ante la desvalorización de la vida, se sugiere una determinada postura: ¿cuál?, ¿cómo?*
- *A otras imágenes acude luego el autor para transmitirnos sus preocupaciones: coméntense.*
- *El fragmento termina con una nueva exclamación en la que hay varios ecos de cosas dichas antes: ¿a qué se refiere la palabra «engaño»?, ¿con qué contrasta el adjetivo «inmóviles»?*
- *Saca las conclusiones que te parezcan oportunas.*

ANÓNIMO

Este memorable soneto —publicado por primera vez en 1628— fue atribuido tanto a ciertos autores del siglo XVI (Santa Teresa, San Ignacio...) como del XVII (Lope de Vega, el mejicano Fray Miguel de Guevara...). Siguiendo el ejemplo del profesor Blecua, lo incluimos en esta antología de poesía barroca. Su doctrina central del amor desinteresado coincide con la de diversos místicos; curiosamente, es paralela a la concepción «cortés» del amor que no espera «premio» (ya hemos visto ejemplos de ello). La construcción del soneto es perfecta por sus paralelismos, antítesis, reiteraciones... Su intensa emotividad se debe, en buena parte, a que presenta como un diálogo directo con Cristo. En suma, «es acaso la más bella oración y una de las más acabadas poesías de nuestra lengua» (Asensio).

94

A CRISTO CRUCIFICADO

No me mueve, mi Dios, para quererte
el cielo que me tienes prometido;
ni me mueve el infierno tan temido
para dejar por eso de ofenderte.

5 Tú me mueves, Señor; muéveme el verte
clavado en una cruz y escarnecido;
muéveme ver tu cuerpo tan herido;
muévenme tus afrentas y tu muerte.

Muéveme, en fin, tu amor, y en tal manera,
10 que aunque no hubiera cielo, yo te amara,
y aunque no hubiera infierno, te temiera.

No tienes que me dar porque te quiera;
pues aunque cuanto espero no esperara,
lo mismo que te quiero te quisiera.

FRANCISCO DE RIOJA
(1583-1659)

Nació en Sevilla, fue sacerdote; en Madrid, estuvo al servicio del conde-duque de Olivares, hasta la caída de éste. De su obra, no muy copiosa, se han destacado siempre sus poemas a las flores, en los que se muestran, de una parte, sus valores pictóricos, su preciosismo, y, de otra, su contribución al tema de la caducidad. He aquí su silva más famosa.

95

A LA ROSA

Pura, encendida rosa,
émula de la llama
que sale con el día,
¿cómo naces tan llena de alegría
5 si sabes que la edad que te da el cielo
es apenas un breve y veloz vuelo,
y ni valdrán las puntas[44] de tu rama,
ni púrpura hermosa
a detener un punto
10 la ejecución del hado presurosa[45]?
El mismo cerco alado[46]
que estoy viendo riente,
ya temo amortiguado,
presto despojo de la llama ardiente.
15 Para las hojas de tu crespo seno
te dio Amor de sus alas blandas plumas,
y oro de su cabello dio a tu frente[47].
¡Oh fiel imagen suya peregrina!
Bañóte en su color sangre divina
20 de la deidad que dieron las espumas[48];
y esto, purpúrea flor, esto ¿no pudo
hacer menos violento el rayo agudo?
Róbate en una hora,
róbate licencioso su ardimiento[49]
25 el color y el aliento.
Tiendes aún no las alas abrasadas
y ya vuelan al suelo desmayadas.
Tan cerca, tan unida
está al morir tu vida,
30 que dudo si en sus lágrimas[50] la Aurora
mustia tu nacimiento o muerte llora.

[44] Las espinas.

[45] La ejecución presurosa (metátesis).

[46] Mariposas que vuelan alrededor.

[47] Alude al color blanco o amarillo de ciertas rosas.

[48] Venus se pinchó con una espina y tiñó con su sangre las rosas.

[49] Valor, intrepidez (del tiempo).

[50] Las gotas de rocío.

PEDRO SOTO DE ROJAS (1584-1659)

Clérigo granadino. Estuvo en contacto con Góngora y Lope, pero desde 1631 vivió retirado en Granada, en un hermoso «carmen» del Albaicín. Dos momentos cabe distinguir en su poesía: el primero está representado por *Desengaño del amor en rimas* (1611-1612), cancionero petrarquista que prolonga la línea de Garcilaso y Herrera; el segundo se sitúa rotundamente en la estela de Góngora y a él corresponde, entre otros, su obra más ambiciosa, el *Paraíso cerrado para muchos, jardines abiertos para pocos,* largo poema —más de mil versos— compuesto durante muchos años y publicado en 1652; se trata de una singular descripción de su jardín granadino, en siete «mansiones», que destaca por los valores pictóricos, por el extremado preciosismo, por las referencias mitológicas y, sobre todo, por la pura complacencia en el arte del lenguaje, dentro del gongorismo más ortodoxo. En una antología como ésta, ha parecido más conveniente dar un hermoso soneto de su primera época.

96

CAÍDA MISERABLE

Mudó el Tiempo ligero mi esperanza,
mudó mi presunción, mudó mi intento;
mudó tan fácil como el fácil viento
(¡mísero yo!) mi loca confianza.

5 ¿Quién sufrirá tan áspera mudanza [51]
de un blando gozo a un áspero tormento?
¡Ah, Tiempo, más que natural, violento!
Tema tu fuerza más quien más alcanza.

Que yo por ti, sin mí, con mis dolores,
10 con suspiros, con llantos me entretengo,
ejemplo siendo a tristes amadores.

Y tanto mal con sólo un bien mantengo:
y es que no llevarás gozos de amores,
pues no podrás llevar lo que no tengo.

[51] Verso tomado, como homenaje, de Garcilaso (soneto IV).

LUIS CARRILLO DE SOTOMAYOR (1585?-1610)

Nació en Baena, estudió en Salamanca, fue caballero de Santiago... brillante trayectoria que se truncó hacia los veinticinco años. Aunque es mucho más joven que Góngora, su temprana muerte hace de Carrillo un precursor (nótese que murió antes de que aquél escribiera el *Polifemo* y las *Soledades*). Defendió el estilo culto y difícil en un *Libro de la erudición poética* y, aparte de diversos poemas, ilustró sus teorías con su *Fábula de Acis y Galatea,* hermoso poema del que reproducimos cuatro octavas reales pertenecientes al canto de Polifemo. Compárense con el *Polifemo* gongorino (**18**) y adviértanse las semejanzas y —sobre todo— las diferencias de estilo.

97

Mira qué grande soy: no está en el cielo
Júpiter —que decís arroja airado
rayos al mundo— tal, ni el ancho suelo
tal le pintó cuando le ve enojado;
5 sirve a mis hombros de espacioso velo
el áspero cabello derramado.
Y ¿quién no estar al hombre bien, confiesa,
el vello grueso y duro y barba espesa?

Ciñe mi larga frente un ojo; el cielo
10 —como el hermoso Sol— lo alumbra solo.
Suegro [52] te doy a aquel que el ancho suelo
abraza altivo de uno al otro polo:
tu rey es y señor; si gustas, vélo,
más que la hermana del hermoso Apolo [53];
15 ¡mira que quien no teme el rayo airado,
tiembla a tu blanco pie, mi dueño amado!

Sufriera tu desdén, triste, sufriera
mis dolores y penas inmortales;
si compañía en otros tristes viera,
20 pasáralas. Mas ¿quién tan desiguales [54]?
¡Que así tu esquiva mano, que así quiera
la causa ser de mis perpetuos males!
¡Ay, yedra ingrata, a muro ajeno asida [55]!
¡Y, ay, paciencia, más larga que mi vida!

25 ¡Arda en tus ojos él [56], arda en tu pecho!:
que él sentirá de aqueste brazo airado
la furia que gobierna a su despecho
lo que un cíclope puede, desdeñado:
por estos campos quedará deshecho
30 el tierno cuerpo de tu dueño amado,
y gustarás, en fin —que así lo quieres—,
ver siempre parte de él por donde fueres.

[52] Polifemo era hijo de Neptuno, dios de los mares.

[53] La Luna, hermana del Sol.

[54] ¿Quién soporta dolores tan grandes?

[55] Paráfrasis de un verso de Garcilaso (Égloga I).

[56] Se refiere a Acis, a quien ama Galatea.

CALDERÓN (1600-1681)

No es necesario decir nada sobre la inmensa figura de don Pedro Calderón de la Barca (véase la introducción a *La vida es sueño* en el segundo volumen de esta colección). No compuso ningún poemario independiente, pero sus comedias y dramas están esmaltados de espléndidas piezas líricas, como este soneto de *El príncipe constante,* de obligada inclusión en las antologías. Es bellísimo (subráyese, entre otros, ese verso 9). Y recoge algunas preocupaciones centrales del Barroco: dígase en qué otros poetas han aparecido temas y expresiones semejantes, y adviértase algo muy característico de Calderón: el alcance moral (véanse especialmente los versos 7 y 12-13).

98

Estas que fueron pompa y alegría,
despertando al albor de la mañana,
a la tarde serán lástima vana,
durmiendo en brazos de la noche fría.

5 Este matiz [57] que al cielo desafía,
iris listado de oro, nieve y grana,
será escarmiento de la vida humana:
¡tanto se emprende en término [58] de un día!

A florecer las rosas madrugaron,
10 y para envejecerse florecieron;
cuna y sepulcro en un botón [59] hallaron.

Tales los hombres sus fortunas vieron:
en un día nacieron y expiraron;
que, pasados los siglos, horas fueron.

[57] Mezcla de colores.

[58] En el plazo, en el espacio.

[59] Yema de las plantas o capullo.

ANTONIO ENRÍQUEZ GÓMEZ
(1602-después de 1660)

Este interesante autor —bastante olvidado hasta recientes estudios— nació en Cuenca. Por ser de origen judío, fue discriminado y perseguido; tuvo que exiliarse a Francia y Holanda; pasó sus últimos años en Sevilla, encubierto bajo el nombre de Fernando de Zárate, con el que escribió muchas comedias. Antes, había escrito la *Vida de Gregorio Guadaña,* relato picaresco, y había publicado en Francia sus poesías, con el título de *Academias morales de las musas* (1642). Entre ellas, destaca la impresionante *Elegía* de la que reproducimos fragmentos. Es una dolorida queja de su condición de exiliado: véase su entrañable evocación de su patria, de su infancia, de su lengua, tan queridas y añoradas. A la indudable novedad de esta temática —en su tiempo— hay que añadir la sinceridad, la emoción, la gravedad y la sencillez del tono. Y son muchos los versos que merecen subrayarse por su hondura o belleza.

99

ELEGÍA

Cuando contemplo mi pasada gloria,
y me veo sin mí, duda mi estado
si ha de morir conmigo mi memoria.
En vano se lastima mi cuidado,
5 conociendo que amar un imposible
contradice del cuerdo lo acertado.

¿Qué importa que mi pena sea terrible,
si consiste mi bien en mi destierro [60]?
Decreto justo para ser posible.
10 Despeñado caí de un alto cerro,
pero puedo decir seguramente [61]
que no nació de mí tan grande yerro.
Lloro mi patria, y de ella estoy ausente,
desgracia del nacer lo habrá causado,
15 pensión [62] original del que no siente.
Si pudiera mi amor de lo pasado
hacer de olvido un pacto [63] a la memoria,
quedara el corazón más aliviado. [...]

Perdí mi libertad, perdí mi nido,
20 perdió mi alma el centro más dichoso,
y a mí mismo también, pues me ha perdido.
¿Cómo puedo aguardar ningún reposo,
si el reloj de mi vida se ha quebrado,
parándose el volante [64] perezoso?
25 Dejé mi albergue tierno y regalado,
y dejé con el alma mi albedrío,
pues todo en tierra ajena me ha faltado.
Fuéseme sin pensar mi aliento y brío,
y si de alguna gala me adornaba,
30 hoy del espejo con razón no fío [65].

[60] El destierro lo salvó de la muerte.

[61] Con toda seguridad.

[62] Condena.

[63] Un pacto de olvido (hipérbaton).

[64] Pieza esencial del reloj.

[65] No me conozco a mí mismo.

Mi sencilla verdad, con quien hablaba,
si la quiero buscar, la hallo vendida;
dejóme, y fuese donde el alma estaba.
La imagen en el pecho tengo asida
35 de aquel siglo dorado, donde estuve
gozando el mayo de mi edad florida.
Una contraria y deslucida nube
turbar pretende el sol de aquella infancia,
adonde racional origen tuve. [...]

40 ¿Quién de mi patria santa y cortesana
me trujo a conocer diversas gentes,
ajenas de la mía, soberana?
No hay más seguros deudos ni parientes
que las piedras del noble nacimiento,
45 que son siempre seguros y obedientes.
Cuando me paro a contemplar de asiento [66]
lo que al presente soy y lo que he sido,
el ansia se me dobla y el tormento.
Cuando me veo solo y perseguido,
50 reparo si yo soy el que merezco
la imagen de mi ser en tanto olvido. [...]

Bien sabe el cielo que con sangre escribo
del corazón estos renglones puros;
que al fin el cuerpo es animal nocivo.
55 Él no puede seguir estos seguros
dolores del espíritu, que el alma
los llora dentro de sus propios muros.
Y pues se queda mi destierro en calma,
tomen ejemplo en mí cuantos pretenden
60 en tierra ajena vitoriosa palma;
que no hay segura vida
cuando la libertad está perdida.

[66] Otra reminiscencia de Garcilaso: «Cuando me paro a contemplar mi estado». (soneto I).

GABRIEL BOCÁNGEL
(1603-1658)

Gabriel Bocángel y Unzueta era madrileño y ocupó diversos cargos cortesanos. Publicó *Rimas y prosas* (1627) y *Lira de las musas* (1637). Como tantos otros poetas de su tiempo, cultivó la poesía amorosa petrarquista, la poesía moral y la fábula clásica de corte gongorino. La crítica ha destacado en él la sensibilidad por la pura forma, sea cual sea el tema tratado (y a veces se complace en «bordar» temas intrascendentes). El soneto que hemos escogido toca temas graves —compárese, por ejemplo, con los números 47 y 48 de Quevedo—, pero importa sobre todo por la novedad, por la tensión de ciertas expresiones, desde el principio hasta el espléndido final.

100

Huye del sol el sol, y se deshace
la vida a manos de la propia vida,
del tiempo que, a sus partos homicida,
en mies de siglos las edades pace.

5 Nace la vida, y con la vida nace
del cadáver la fábrica [67] temida.
¿Qué teme, pues, el hombre en la partida,
si vivo estriba en lo que muerto yace?

Lo que pasó ya falta, lo futuro
10 aún no se vive, lo que está presente
no está, porque es su esencia el movimiento.

Lo que se ignora es sólo lo seguro,
este mundo, república de viento,
que tiene por monarca un accidente [68].

[67] Construcción, fabricación.

[68] Algo que no es esencial ni constante; o algo casual.

APÉNDICE

ESTUDIO DE LA OBRA

Por la índole de este volumen (pluralidad de autores y variedad de obras), será difícil sintetizar en estas páginas un panorama tan rico y complejo. Por supuesto, no nos ocuparemos aquí de los distintos poetas: para su estudio particular, remitimos a las notas biográficas y críticas que hemos ofrecido, y a las notas sobre sus textos.

La misión de este apéndice es facilitar una síntesis de lo que se habrá ido observando al hilo de las lecturas, destacando lo esencial en un doble plano: *temas* y *estilo*. Pero, en algún punto, aprovecharemos para ofrecer algunos datos suplementarios.

I. TEMAS

La temática del desengaño

Sabemos ya que, en el Barroco, se da una concepción negativa del mundo y del hombre. He aquí algunos aspectos concretos que se habrán observado en los poemas:

El mundo carece de valor: ya no se ve como un «cosmos» (= orden), sino como un «caos» (= desorden, confusión). La «discordia» (conflicto, contradicción) lo domina todo.

La vida humana es, asimismo, contradicción, discordia, lucha. De una parte, está la contienda íntima del hombre escindido (por ejemplo, entre vitalismo y ascetismo): «La vida del hombre es guerra consigo mismo», según Quevedo. De otra parte, está la lucha con los demás: «Todos vivimos en asechanzas los unos de los otros, como el gato con el ratón y la araña con la culebra» (Mateo Alemán). Frecuentemente, *la soledad* es una salida de este horizonte conflictivo.

La vida es breve e inconsistente. El tema de la fugacidad alcanza expresiones hondas: entre «la cuna y la sepultura» apenas hay una «breve jornada», apenas «un punto». Todo se nos escapa: «Solamente lo fugitivo permanece y dura» (Quevedo). A la idea de *caducidad* se une la de *mudanza* (todo cambia), y ambas explican la obsesión por el *Tiempo,* que pasa destruyéndolo todo: «sepultureros son las horas» (Quevedo). Poemas como los dedicados a *las ruinas (*Caro, **98**) o a la fragilidad de las flores (**15, 95, 98**) revelan esa angustia ante el poder del tiempo*.

---

* Los números en negrita remiten a los poemas de la antología.

Otros temas desarrollan la *inconsistencia de la vida:* la vida es frágil como un reloj de arena (**57**); es «una sombra, una ficción»; «la vida es sueño»... Un aspecto concreto de todo ello es el *divorcio entre apariencia y realidad:* lo que «parece» hermoso «es» falso (**89**); nada es lo que parece, y el hombre actúa en «el gran teatro del mundo» sin alcanzar la realidad, sin apresar la vida.

Vivir es ir muriendo. Puesto que la vida se escapa, la muerte ocupará su lugar. La obsesión por la muerte es el aspecto más grave de esta concepción desengañada. Y ya no es sólo que el tiempo nos conduzca velozmente a la muerte: es que la vida misma es muerte; «muerte viva es, Lico, nuestra vida» (Quevedo, **49**); vivir es un ir muriendo, y morir no es más que «acabar de morir».

No cabe una visión más desolada que ésta, cuya expresión máxima se hallará, por supuesto, en Quevedo.

Pero también vimos cómo estos temas pueden ser enfocados desde *posiciones ascético-morales,* que se proponen aportar un consuelo y dar un sentido a la vida. La respuesta religiosa halla ocasionalmente acentos hondos en Lope, en Quevedo, etc., junto al ideal *estoico o senequista* o los ideales *horacianos* de «vida retirada» y de vida modesta (*aurea mediocritas*), con la variante del «menosprecio de corte y alabanza de aldea»; y antes aludimos a la *soledad* como refugio. Se trata de ideas que hallan tratamiento memorable en Góngora (**6**), en Lope (**33**), en Quevedo (**56**), etc.; pero su máxima síntesis está, sin duda, en la espléndida *Epístola moral a Fabio* (**93**)*.

---

* Por lo demás, a las ideas de que la vida es «una ilusión» o «un sueño», Calderón dará una salida moral en *La vida es sueño* (véase el vol. 2 de esta colección).

El amor

En el Barroco —como casi siempre— la poesía amorosa ocupa un lugar preeminente. Conviene que precisemos su índole, su tradición y su originalidad. Ya anticipamos —y hemos insistido en las notas— cómo, durante el Siglo de Oro, se continúa una línea que enlaza el *amor cortés,* el *petrarquismo* y el *neoplatonismo.* He aquí unas aclaraciones sobre tales conceptos.

El llamado *amor cortés* es una concepción amorosa desarrollada a partir del siglo XII por los trovadores del sur de Francia; en ella se hallan las raíces de lo que podría llamarse amor «moderno» y hasta «romántico», aunque responde a circunstancias propias de las cortes aristocráticas medievales.

— En sus orígenes destaca un doble influjo, el del *feudalismo* (relaciones de vasallaje) y el del *catarismo* (doctrina religiosa que rechazaba el amor carnal).

— De acuerdo con ello, el amor se concibe, de una parte, como un «servicio» o vasallaje del poeta a una dama superior (a veces, hasta divinizada).

— De otra parte, se presenta (salvo casos «impuros») como un amor espiritual y desinteresado, que debe descartar toda esperanza de posesión. De ahí que, paradójicamente, la amada del poeta suele ser casada (es decir, una dama a la que no se corteja por intereses materiales, intereses que presidían los enlaces matrimoniales de la nobleza).

— Por todo ello, se tratará de un «amor lejano», no correspondido o irrealizable. Y como, pese al ideal, el poeta siente deseos carnales, la renuncia a ellos va acompañada de dolor, de «pasión» (= padecimiento). Una serie de tópicos se refieren, desde entonces, al amor como «fuego», «locura», «prisión», «muerte», etc.

— Pero ese amar y ese sufrir son inevitables: son el destino. El poeta «cautivado», «enajenado», no puede dejar de amar. Y hasta se complace en sufrir, porque el sufrimiento por amor es signo de almas nobles y ennoblece.

— Y todo ello se resume en sentimientos contradictorios: el amor es deseo y renuncia, es dolor y orgullo, es infierno y gloria, es muerte y vida...

Muchas de estas ideas o sentimientos se prolongan —insistimos— durante siglos. Pero hablemos de dos corrientes conexas: el *petrarquismo* y el *platonismo renacentista.*

— En el siglo XIV, hasta el gran humanista y poeta italiano Francesco Petrarca llegan los ecos del amor cortés. También él cantará un amor imposible por una dama (Laura), un sentir contradictorio que le hace sufrir y lo purifica. Lo que añade Petrarca es, sobre todo, una nueva autenticidad humana por su cálido intimismo. Aparte, está la suave musicalidad de sus metros italianos. Ambas cosas serán modelos para Garcilaso y los poetas españoles del Siglo de Oro.

— El *platonismo* renacentista es una corriente de renovado interés por la filosofía de Platón (siglo V antes de Cristo) y de sus antiguos seguidores. Aquí nos interesa su concepción del amor, relacionado con el anhelo espiritual del hombre por ascender hacia la perfección, hacia la plenitud. El amor sería el principio fundamental de la vida; el amor y la belleza anticipan o conducen a la Belleza suprema, a la fusión con Dios, suprema forma de amor. Hay aquí, pues, un componente místico que debe tenerse en cuenta (véase el poema **91,** de Medrano).

Todo lo dicho es imprescindible para comprender la poesía amorosa del Siglo de Oro. En cuanto al Barroco, en muchos poemas de esta antología se reconocerán conceptos como los que acabamos de exponer. Recomendamos que se relean ciertos poemas amorosos de Lope o de Quevedo (véanse notas), y de modo aún más especial esos cuatro sonetos de Villamediana (**74** a **77**) que encierran, con asombrosa intensidad, no poco de lo que hemos dicho en este apartado.

Pero hay que añadir que lo propio —lo original— de nuestros líricos barrocos será, una vez más, la radicalización de esta temática amorosa. Todo se extrema, todo se lleva a una máxima tensión. Y ello tiene que ver con algo fundamental: que la concepción del amor aparece estrechamente ligada a la concepción de la vida propia del momento. El amor sería un hermoso ideal: «alma del mundo» (Quevedo), «árbitro entre esperanza y miedo» (Villamediana); algo que podría dar un sentido a la vida; algo, incluso, que aliviaría nuestra angustia ante la muerte. Pero será un ideal inalcanzable, como el mismo ideal de plenitud vital. Como la vida, el amor estará marcado por las *contradicciones* (será «contienda íntima»). Y traerá consigo llanto, dolor y muerte. En suma, la poesía amorosa alcanzará, en nuestros grandes poetas barrocos, unas asombrosas dimensiones existenciales y «metafísicas». Véanse estos versos que encontramos en un poema amoroso de Quevedo:

> Bien puede en mi cadena
> el *ser* con el *no ser* a un mismo punto
> estar por mi mal junto;
> pues, muerto al gusto, estoy vivo a la pena;
> y así es verdad, Inarda, cuando escribo
> que yo *soy* y *no soy*, y *muero* y *vivo*.

Naturalmente, lo dicho es esencial, pero no lo es todo. Ante el amor, serán posible otras actitudes muy distintas; algunas podrán verse en ciertos poemas de Góngora o de Lope (por ejemplo, **10, 25** y **26**). Y, en otro nivel, habrá que contar con la burla de los ideales amorosos, en la poesía satírica y burlesca.

Otros temas

Poco añadiremos a lo dicho en la introducción (pág. 21) sobre otros aspectos de la poesía seria o grave de la época. Sólo destacaremos el gusto por los *temas mitológicos,* por su abundancia y porque en esa línea se inserta el *Polifemo* de Góngora. Si bien en los poemas mitológicos pueden rastrearse algunos de los temas graves del momento (frustraciones, destinos trágicos, etc.), tales composiciones apuntan sobre todo a metas de belleza formal. Y también es muy característico del Barroco cierta tendencia esteticista, cierto «formalismo», diríamos hoy.

Unas observaciones, en fin, sobre la *poesía satírica y burlesca.* Sin insistir en la distinción entre ambas, digamos que sus dardos apuntan a muy diversas dianas. Se dirigirán contra todos los estamentos o grupos sociales: la corte, los políticos, los ricos, los pobres. Se pondrán en la picota todas las profesiones: médicos, sastres, alguaciles, escritores (recuérdese la «guerra» a poemas entre Góngora, Lope y Quevedo, entre otros). Se fustigarán todos los vicios, defectos y ridiculeces. Pero los poetas llegarán también a burlarse de ideales con que soñaron: el heroísmo, el amor... La mujer —tan enaltecida por la lírica del amor cortés— será también objeto de toda una poesía misógina.

Hay, en efecto, una actitud de envilecimiento o degradación de la realidad que puede considerarse como fruto del desengaño: se fustiga la realidad que desilusiona. Y así, el poeta puede llegar hasta a reírse de la vida misma y de la muerte (por ejemplo, en los poemas **70** y **71**). No todo, claro es, tiene esas raíces: hay poemas burlescos que responden a intenciones puramente lúdicas, aunque el jugueteo con el lenguaje rara vez es inocente.

II. ESTILO

La búsqueda de la intensidad emotiva o estética, el gusto por los contrastes, la agudeza, la artificiosidad... y la intención —en suma— de suscitar el asombro del lector, estrujando al máximo las posibilidades del lenguaje: he ahí, según sabemos, los rasgos básicos del estilo barroco. El repertorio de recursos es amplísimo. En estas páginas repasaremos sólo los más característicos.

Conceptos, metáforas

Si, en la práctica, resultaba difícil trazar la frontera entre conceptistas y culteranos, las bases teóricas tampoco aportan mucha claridad. El *concepto,* base del conceptismo, era definido así por Gracián: «Es un acto del entendimiento que expresa la correspondencia que se halla entre las cosas.» Pero nótese que esa definición vale también para la metáfora. Si un «concepto» es llamar a un narigudo «pez espada mal barbado» (Quevedo), ello no es sustancialmente distinto de llamar a una gruta «bostezo de la tierra» (Góngora). El *concepto* abarcaría, pues, diversas cosas: símiles, perífrasis, alusiones (mitológicas, por ejemplo), etc., y, además, metáforas.

La *metáfora* es, sin duda, la reina de las figuras del estilo barroco. Ciertamente, encontraremos aún metáforas tradicionales, tópicas: así, *oro, perlas, claveles, nieve,* etc., para ponderar la belleza femenina. Pero lo característico, ahora, será la *novedad* y la *audacia* metafóricas; novedad, porque se quiere renovar la capacidad de asombro del lector; audacia, porque el ingenio llega a dar un enorme salto para relacionar objetos muy alejados en la realidad. Veamos algunos ejemplos en Góngora: «una

Libia de ondas» es el mar inmenso y desierto; «trompeticas de oro» es el zumbido de las abejas; unas islas en medio de un río serán «paréntesis frondosos» de la corriente. Como se ve, se requiere un esfuerzo —y, a menudo, grande— para relacionar el «término imaginario» que se nos da con el «término real» ausente.

Los fines y los efectos de las metáforas son variados. Hay metáforas de tipo sensorial y de tipo afectivo; podrán perseguir el embellecimiento o la intensidad de la visión, etc. Limitémonos a recordar algunos ejemplos que van en diversos sentidos.

> Purpúreas rosas sobre Galatea
> L'alba entre lilios cándidos deshoja.

Así ve Góngora el cuerpo blanco (*lilios cándidos*) de Galatea, bañado por la luz rosada del amanecer *(rosas).* El efecto visual es bellísimo. Estamos, pues, ante una metáfora de tipo sensorial y embellecedora. Y produce un efecto llamado «ascendente».

Pero el mismo Góngora, como sabemos, llama a una gruta *bostezo de tierra,* y la roca que tapa su boca es una *mordaza;* y llama *greña* a las frondosas ramas de los árboles que se alzan ante ella. En estos casos, ya no se apunta tanto a los sentidos como al ingenio. Y se persigue más la intensidad expresiva que la belleza. Se trata de metáforas de efecto «descendente» que tendrán mayor lugar en la poesía burlesca.

Un recurso vecino a la metáfora es la *perífrasis alusiva,* un tipo de expresiones con las que se alude a algo evitando nombrarlo directamente. Así, la expresión gongorina «la que en la rectitud de su guadaña / Astrea es de las vidas» alude a la muerte mediante la referencia mitológica a un modelo de justicia. Los efectos de estas perífrasis son semejantes a los de la metáfora.

Artificios y audacias gramaticales

La audacia y la sed de novedades se manifiestan también en la «gramática» de los escritores barrocos. Como dijimos, se tensan las posibilidades del lenguaje y se fuerzan los usos hasta llegar a distorsiones o transgresiones cargadas de intención. Sin salirnos de un autor, Quevedo, lo veremos forjar superlativos anómalos como *naricísimo* o construcciones como *archinariz;* usará como transitivos verbos intransitivos («¿Cuándo *amanecerá* tu hermoso día / la oscuridad que el alma me *anochece?*»); o llegará a sustantivar formas verbales: «Soy un *fue* y un *será* y un *es* cansado».

En el plano sintáctico, son reveladores los efectos de *bimembración, paralelismo* y afines. Con ellos se persigue, unas veces, el refinamiento de las construcciones; otras veces, el relieve de las ideas o la fuerza expresiva. La bimembración de un verso puede combinarse con el paralelismo sintáctico o con el *quiasmo* (o efecto de simetría), como se aprecia en estos dos versos de Quevedo: «Ayer se fue; mañana no ha llegado», frente a «Ya no es ayer; mañana no ha llegado». Veremos luego cómo la bimembración puede aprovecharse para establecer contrastes. Los paralelismos, por su parte, pueden ir reforzados por la *anáfora,* o repetición de una o varias palabras al principio de las frases (véase la repetición de «Érase» en el famoso soneto **67,** de Quevedo).

En relación con el paralelismo, es muy característico de la época el artificio llamado *correlación.* Lo hemos explicado en nota al soneto «Suspiros tristes, lágrimas cansadas», de Góngora (**8**). Y puede observarse en los tercetos de «Cerrar podrá mis ojos...», de Quevedo (**64**). Una variante singularmente brillante de este recurso es lo que se conoce como *procedimiento diseminativo-recolectivo,* del que son ejemplos eminentes dos sonetos de

Góngora: el **14** y, sobre todo, el **9** («Mientras por competir con tu cabello»). A ellos remitimos.

En fin, entre los retorcimientos sintácticos ocupa un lugar preminente el especial uso del *hipérbaton.* Frente a la presencia de hipérbatos moderados en la poesía anterior, los autores barrocos se caracterizarán, una vez más, por la extremosidad, por la audacia con que llegan a trastocar el orden de palabras. Lo hemos visto al comentar los grandes poemas gongorinos; ya insinuamos lo que aquellos hipérbatos extremos podían tener de emulación de la libertad sintáctica del latín. Recordemos aquí sólo la octava 6.ª del *Polifemo* («Deste, pues, formidable de la tierra / bostezo el melancólico vacío...»). ¿Nos hallamos ante un puro gusto por lo retorcido o lo oscuro? Sin duda, pero, además, Dámaso Alonso ha hecho notar cómo al desviarse del orden habitual, se consigue poner de relieve y dar nueva fuerza a ciertas palabras. En cada caso concreto, habrá que analizar en qué medida es así.

Contrastes, antítesis, paradojas

Los conflictos y contradicciones del espíritu barroco se traducen en el gusto por los contrastes. En un mismo poeta (Góngora, Quevedo y tantos) convivirán lo grave y lo chocarrero, lo delicado y lo sucio; o lo ascendente y lo descendente, como se ha visto. Hasta en un mismo poema (el *Polifemo,* por ejemplo) se dará el contraste entre «monstruosidad y belleza» (D. Alonso).

La *antítesis* alcanza un cultivo muy especial; véase un hermoso ejemplo en Góngora: «La aurora ayer me dio cuna, la noche ataúd me dio» (**15**). Y recordemos un soneto de Quevedo formado por una sarta de antítesis: «Adán en paraíso, vos en huerto», etc. En este caso, como en otros muchos, se ve lo que anunciábamos hace un instante: el aprovechamiento de la bimembración para estos marcados efectos de contraste.

Las contradicciones culminan en el gusto por la *paradoja*. Su manifestación más radical se hallaría en Quevedo, cuando dice que «todo *corto* momento es paso *largo*» hacia la muerte (**53**) o que nuestra *vida* es «muerte viva» (**49**). En la poesía amorosa, las paradojas expresan aquella concepción del amor como contienda íntima, como contradicción: remitamos a sonetos memorables de Lope (**22** y **23**), o de Quevedo (el **61**: «Es hielo abrasador, es fuego helado...») Según señalamos, poemas como éstos dan nuevo brío a lo que, desde la Edad Media, se llamaban *juegos de opósitos*.

Otros recursos

No cabe aquí —insistimos— el amplio abanico de recursos estilísticos observables. Añadamos rápidas referencias a algunos que son muy del gusto barroco.

Con la afición a los contrastes tiene que ver la coexistencia de registros verbales extremos: el vocabulario más exquisito alterna con el más vulgar. A la primera línea —«ascendente»— responden los *cultismos* (palabras «nuevas» tomadas del latín clásico, tan características de Góngora *) o los *eufemismos* (dar a un objeto un nombre

* He aquí algunos ejemplos suyos: *canoro, cerúleo, vulto,* palabras inusitadas aún hoy; en cambio, otros cultismos entonces sorprendentes son ahora palabras corrientes: *crespúsculo, esplendor, formidable, aplauso, erigir, fugitivo* y muchas más. Hay que subrayar esta ampliación de vocabulario.

más noble que el suyo propio. A la línea contraria —«descendente»— corresponden los *vulgarismos* y los *disfemismos* (dar a un objeto un nombre más bajo). Así, el cutis de una mujer puede ser «nácar» o «pellejo», y los labios «rubí» o «jeta comedora» (véase el poema **69**).

La tendencia a extremar, a intensificar, halla en la *hipérbole* su figura idónea, la cual puede adoptar también una dirección ennoblecedora o envilecedora: recuérdense los alcances hiperbólicos de la belleza de Galatea o de la figura de Polifemo, en Góngora; o las dimensiones de una nariz en el tan citado soneto de Quevedo.

La agudeza, el ingenio, se plasma en multitud de recursos; retruécanos, juegos de palabras, paronomasias... El *retruécano* consiste en una inversión de términos en expresiones vecinas, por ejemplo: «... que lo que a todos les quitaste sola / te puedan a ti sola quitar todos» (Quevedo, **55**). Sor Juana Inés de la Cruz nos ofrece espléndidos retruécanos en los poemas **82** y **84.**

Los *juegos de palabras* son variadísimos. Especialmente frecuentes son los que se basan en los dobles sentidos (dilogía o silepsis, anfibología...) Su gran maestro es Quevedo: véase, por ejemplo, cómo juega con los sentidos de «venas», «reales», «gatos», etc., en la letrilla sobre el dinero (**73**); y remitamos, una vez más, al soneto «Érase un hombre...» (**67**). Pero no se quedan atrás Góngora (**5**) o Lope (**25**).

Al frenesí por ampliar las posibilidades del lenguaje responde la creación verbal. Los *cultismos* eran ejemplo de creación «ascendente». De la creación con intención burlesca es ejemplo (en **68**) la palabra «chapizanco», creada por Quevedo, a partir de «chapín» y «zanco»; para aludir a zapatos de tacón desmesuradamente alto.

En otras obras del mismo autor se hallarían palabras como «cornicantano» (formado a semejanza de «misacantano»), «desmujerar» (perder a la mujer), «quintainfamia» (a partir de «quintaesencia»), «diabliposa» (entre diablesa y mariposa), etc.

En fin, junto a los recursos mencionados —que tienen carácter sintáctico o semántico— tendríamos los *efectos de tipo fonético.* Los poetas barrocos muestran también el gusto por jugar con la sonoridad de las palabras. En la *paranomasia,* se juega a la vez con el sonido y el sentido: «Con unos pocos *libros libres* —libres digo / de expurgaciones—...» (**6**). Junto a ello, puede verse una fina sensibilidad ante las posibilidades sonoras en versos como estos de Góngora: «del lucien*te* cris*tal* tu gen*til* cuello» (**9**) o «infame *tur*ba de noc*tur*nas aves» (**18**, estrofa 5.ª).

La métrica

Es curioso que esta época tan ávida de novedades no aporte apenas innovaciones en la versificación, aunque sí algunas modulaciones significativas. Ya indicamos en la introducción las principales líneas que, en este aspecto, cabía observar. Hagamos ahora un rápido repaso de lo que habrán revelado las lecturas.

Por una parte, los poetas barrocos desarrollan la *versificación de origen italiano* introducida en el Renacimiento: las estrofas basadas en el *endecasílabo* (y su «pie quebrado»: el heptasílabo). Muy a la cabeza de todas destaca el *soneto.* En el XVII están los máximos sonetistas de nuestra literatura (Góngora, Lope, Quevedo); en sus manos, el soneto desarrolla hasta límites increíbles todas las posibilidades que su sabia estructura podía encerrar. En los sonetos de la época serán posibles todos los artificios, todos los refinamientos de construcción (paralelismos, correlaciones, rimas difíciles, etc.).

Junto a ello, otras formas también «italianas»: los *tercetos* se adaptan especialmente a las epístolas (cfr. **35, 93, 99**); las octavas reales se siguen usando para la narrativa culta, épica o mitológica (**18** y **97**); la *silva* permite las mayores libertades y audacias, como en las *Soledades* de Góngora...

Otra línea: la de los *metros castellanos.* Hemos podido ver *coplas, redondillas, cuartetas, letrillas, romances...* Detengámonos en las dos últimas formas, porque conviene no confundir *letrillas* y *romances con estribillo;* en aquéllas, el estribillo es «glosado» (=desarrollado) en estrofas de rima consonante (ejemplos: **3, 4, 72, 73**...); pero un «villancico» (en el sentido originario de «estribillo») puede ser glosado también con versos asonantados en forma de romance (**12, 28, 29**...); o lo que es parecido: un romance puede incluir un estribillo (**7**).

Por lo demás, ya señalamos el extraordinario desarrollo del Romancero nuevo, o conjunto de romances escritos por poetas cultos, con nuevos temas y nuevas facetas de estilo. En esta antología hemos visto muestras que van de Góngora a Sor Juana, pasando por Lope. Y junto al puro *romance* octosílabo, hemos encontrado *romances endecha* y *romancillos* (compuesto con versos de siete y seis sílabas).

En fin, se habrá podido apreciar el gusto por la *poesía de tipo tradicional* o métrica de la canción popular. Con ella se emparentan, en parte, algunas de las formas mencionadas en los dos párrafos anteriores. Pero junto a diversos tipos de «villancico glosado», hay formas tan puras como el *zéjel,* la *seguidilla,* etc. (véase Lope, **38-46**).

Conclusión

La lectura y el estudio de la poesía barroca nos ha puesto ante un panorama muy rico, muy variado y hasta lleno de aspectos contradictorios: cultismo y popularismo, seriedad y burla, altura y bajeza... Insistamos en que, junto a una poesía que es expresión de angustias o una poesía en que se vierte toda la hiel posible, hay también una poesía lúdica y una poesía que se propone el puro arte («el arte por el arte»). Se trata, sin duda, de diversas formas de situarse ante el «cuidado»: la confesión, el ataque, la risa desenfadada o la salvación por la poesía... En ello, el Barroco no es muy distinto de algunas otras épocas.

BIBLIOGRAFÍA

Se citan aquí sólo algunas introducciones u obras de conjunto. Quien desee bibliografía particular sobre los diversos autores, la encontrará en la mayoría de los trabajos que se citan a continuación (especialmente orientadores son los capítulos de la obra dirigida por F. RICO). El lector atenderá también a las distintas Historias de la Literatura, de las que sólo citaremos aquí la de PEDRAZA y RODRÍGUEZ, por ser reciente y de especial utilidad.

ALONSO, Dámaso: *Poesía española. Ensayo de métodos y límites estilísticos,* Gredos, Madrid, 1950.

Obra clásica para el estudio de la lengua poética del Siglo de Oro. Análisis magistrales del estilo barroco a través de textos de Góngora, Lope y Quevedo.

BLECUA, José Manuel: *Poesía de la Edad de Oro. II, Barroco.* Castalia, Madrid, 1984 («Clás. Castalia», 136).

La más reciente de las antologías de este tipo. Reúne un centenar largo de autores.

COLLARD, Andrée: *Nueva poesía. Conceptismo y culteranismo en la crítica española,* Castalia, Madrid, 1967.

Amplio examen de la distinción tradicional entre ambas «escuelas».

CHECA CREMADES, Jorge: *La poesía en los Siglos de Oro: Barroco,* Playor, Madrid, 1982.

Útil introducción, especialmente en lo concerniente al estilo.

LÁZARO CARRETER, Fernando: *Estilo barroco y personalidad creadora.* Anaya, Salamanca, 1956 (hoy en Cátedra, Madrid).

Contiene, entre otros, un estudio fundamental sobre conceptismo y culteranismo, y trabajos espléndidos sobre Góngora, Lope y Quevedo.

MARAVALL, José Antonio: *La cultura del Barroco,* Ariel, Barcelona, 1975.

Gran visión de conjunto, desde la perspectiva de un importante historiador.

PALOMO, María del Pilar: *La poesía de la edad barroca,* SGEL, Madrid, 1975.

Un panorama que destaca por su fina sensibilidad.

PEDRAZA, Felipe B., y RODRÍGUEZ, Milagros: *Manual de Literatura Española. III, Barroco: Introducción, prosa y poesía,* Cénlit Eds., Pamplona, 1980.

Amplia y sólida síntesis, apoyada en una bibliografía fundamental. Imprescincible.

RICO, Francisco [Dir.]: *Historia y crítica de la Literatura española. Vol. III: Barroco, al cuidado de B. W. Wardropper,* Crítica, Barcelona, 1983.

Conjunto esencial de trabajos. Interesan aquí los titulados «Temas y problemas del Barroco español», por WARDROPPER; «Lope: poesía y prosas», por J. M. ROZAS; «Góngora», por A. EGIDO; «Quevedo», por P. JAURALDE, y «Trayectoria de la poesía barroca», por ROZAS y PÉREZ PRIEGO. Cada capítulo incluye, tras un panorama orientador, una antología de estudios sobre el tema correspondiente.

SUÁREZ MIRAMÓN, Ana: *La renovación poética del Barroco,* Cincel, Madrid, 1981.

Buena iniciación a los problemas de conjunto y a los autores, especialmente a los «tres grandes».

TÍTULOS PUBLICADOS

1. *Lazarillo de Tormes,* anónimo.
2. *La vida es sueño,* Pedro Calderón de la Barca.
3. *Rimas y leyendas,* Gustavo Adolfo Bécquer.
4. *Cuentos,* Leopoldo Alas, «Clarín».
5. *Romancero,* varios.
6. *Rinconete y Cortadillo,* Miguel de Cervantes Saavedra.
7. *Fuente Ovejuna,* Félix Lope de Vega y Carpio.
8. *El sí de las niñas,* Leandro Fernández de Moratín.
9. *El sombrero de tres picos,* Pedro Antonio de Alarcón.
10. *Platero y yo,* Juan Ramón Jiménez.
11. *La Celestina,* Fernando de Rojas.
12. *El casamiento engañoso* y *El coloquio de los perros,* Miguel de Cervantes Saavedra.
13. *Don Álvaro o la fuerza del sino,* Ángel de Saavedra (duque de Rivas).
14. *San Manuel Bueno, mártir,* Miguel de Unamuno.
15. *Antología poética,* Antonio Machado.
16. *Antología de poesía barroca,* varios.
17. *El caballero de Olmedo,* Félix Lope de Vega y Carpio.
18. *Artículos,* Mariano José de Larra.
19. *Bodas de sangre,* Federico García Lorca.
20. *Tres sombreros de copa,* Miguel Mihura.

© GRUPO ANAYA, S. A., 1986 © De esta edición: GRUPO ANAYA, S. A. - Telémaco, 43
28027 Madrid - Depósito Legal: S. 869 - 1992 - ISBN: 84-207-2750-4 - Printed in Spain
Imprime: Gráficas Ortega, S. A. - Polígono "El Montalvo" - Parcela 49, n.º 3 - Salamanca.